CW00543882

Narratori Feltrinelli

Pif

...che Dio perdona a tutti

Prima edizione ne "I Narratori" novembre 2018

Stampa Grafica Veneta S.p.A. di Trebaseleghe - PD

ISBN 978-88-07-03313-1

...che Dio perdona a tutti

A Dino Zoff

Facciamo un mestiere diverso da quello della Chiesa.

ANGELINO ALFANO

Il vescovo fa il vescovo e non rompe le palle ai sindaci e a chi amministra le sue città.

MATTEO SALVINI

Prologo

Il mio primo serio, intenso e vero colloquio con Dio avvenne quando ero ancora bambino, il 5 luglio 1982. Al 43° minuto del secondo tempo della partita Italia-Brasile dei Mondiali di calcio in Spagna. Al Brasile bastava anche un pareggio per andare in semifinale, l'Italia doveva vincere.

Sembrava un'impresa impossibile, perché la squadra sudamericana schierava alcuni tra i migliori giocatori che il Brasile abbia mai avuto: Cerezo, Falcão, Sócrates, Zico. Mentre l'Italia era considerata la Cenerentola dei Mondiali e nessuno avrebbe scommesso sulla sua vittoria. Nonostante questo, qualche tifoso brasiliano piazzò delle gallinelle dietro la porta italiana, forse per un rito vudù. Quella partita, alla fine, cambiò la vita ad almeno due persone. A Paolo Rossi e a me. Lui, dopo lo scandalo del calcio scommesse, fu definitivamente riabilitato, e io ottenni un collegamento diretto con Nostro Signore. Ma ecco i fatti più salienti della partita.

Al 5° minuto del primo tempo, Antonio Cabrini lanciava un traversone in aerea per Paolo Rossi, che di testa la metteva dentro. Italia 1-Brasile 0. Io e mio cugino, fiorentino ma di vacanze estive palermitane, saltammo in aria e ci abbracciammo come se avessimo segnato noi. Sette minuti dopo Sócrates pareggiava con un tiro che passava tra il nostro portiere, il grandissimo Dino Zoff, e il palo sinistro. Fu così secco, il tiro, che la palla alzò della polvere di vernice, appena superata la striscia della linea di porta. Italia 1-Brasile 1. Ufficialmente eravamo fuori. Io, che avevo appena scoperto la gioia dei Mondiali, mi sedetti sul divano e, solenne, dissi a mio cugino: "È la vita! Con una mano dà e con l'altra toglie". Ma al 25° minuto, ancora grazie a Paolo Rossi, la vita ridava. Rubando un passaggio corto di Cerezo ai compagni di squadra, in pieno stile suo, segnò il secondo gol dell'Italia: Italia 2-Brasile 1. Eravamo in semifinale. Il Brasile era fuori. Fine primo tempo.

Visto che la vita dà e la vita toglie, durante l'intervallo mi chiesi come potessi influenzare io la vita. Fu in quel momento che compresi come la preghiera fosse l'unica arma a nostra disposizione per riuscirci... il problema era che non conoscevo che il Padre nostro e l'Ave Maria. Nel tempo infatti avevo brevettato un atteggiamento ben preciso da assumere davanti a un prete, o suora, che discorreva di cose religiose. Partiva al terzo minuto di parlato ininterrotto, litanie comprese: il mio capo prendeva a dondolare ritmicamente dall'alto verso il basso, simulando un atteggiamento ragionato, profondo e ponderato. In realtà pensavo a cose del tipo: "Ma oggi pomeriggio gioco con il Super Santos oppure ci facciamo una partita a Subbuteo?".

Il risultato di questa tecnica sopraffina, però, fu che nel primo momento di vero bisogno non ero in grado di chiedere aiuto a Dio se non con le preghiere più scontate.

Cominciò il secondo tempo. Al 10°, Cerezo si lanciò verso la porta italiana, ma venne bloccato da una strepitosa uscita di Zoff al limite dell'area. Qualche minuto dopo, Dino ci salvava anche da un insidioso colpo di tacco di Serginho davanti alla porta. Ma al 23° minuto del secondo tempo la vita tornò a togliere. Paulo Roberto Falcão si liberò con una finta di tutta la difesa italiana e con il sinistro, complice una lieve deviazione di Beppe Bergomi, segnò il secondo gol. Italia 2-Brasile 2. I sudamericani tornavano in semifinale e noi italiani tornavamo fuori dai giochi. Io cominciai a sospettare che Dio non volesse bene ai cattolici italiani. Nonostante le mie preghiere, il Brasile aveva pareggiato. Lo trovai religiosamente ingiusto. Poi, però, mi resi conto che dall'altra parte nel mondo, in qualche città del Brasile, doveva esserci un bambino che come me pregava per la vittoria, e forse meglio di me. Anzi, sicuramente meglio di me, visto il risultato. Mi sforzai di ricordare le preghiere che infinite volte avevo ascoltato dalle suore, sperando che magari il mio inconscio le avesse registrate. A volte, scoprii, basta chiedere: Angelo di Dio, Eterno riposo, Salve Regina, Benedictus, Preghiera dell'incenso, Anima di Cristo, Santo Rosario, Te Deum, Addio all'altare, Atto di fede, Atto di speranza, Atto di dolore, Atto di carità, e per finire le Beatitudini che non sapevo se potevano essere catalogate come preghiere, ma nel dubbio le misi dentro comunque.

Con il tipico atteggiamento di superiorità del bambino occidentale, pensai che il bambino brasiliano non poteva conoscere tutte quelle preghiere. E fu così che al 74° minuto del secondo tempo, mentre in ginocchio davanti alla tv terminavo le Beatitudini, al passaggio "Beati i perseguitati a causa della giustizia, perché di essi è il regno dei cieli", ancora una volta Paolo Rossi davanti alla porta deviò un tiro di Marco Tardelli, spiazzando il portiere brasiliano Waldir Peres. Italia 3-Brasile 2. L'Italia era in semifinale, il Brasile fuori. Io avevo esaurito tutte le preghiere che conoscevo e mancavano ancora 14 minuti alla fine della partita.

Le emozioni non erano ancora terminate. Oriali passava la palla ad Antognoni che, solo in area di rigore, segnava il quarto gol per l'Italia. Mio cugino, vedendo la bandiera della sua Fiorentina segnare, scese lungo le scale del palazzo urlando a ripetizione: "Antogol!!! Antogol!!!". Ma, appena uscì in cortile, l'arbitro della partita, l'israeliano Abraham Klein, annullò la rete per un inesistente fuorigioco. Mi sporsi dalla finestra per avvisarlo: mentre dagli appartamenti tutt'intorno si sentiva imprecare, lui stava ancora esultando. Ma alla fine lasciai perdere, perché pensai a quel passaggio delle Beatitudini che dice: "Beati i puri di cuore, perché vedranno Dio", e in quel momento mio cugino era uno di loro.

Ed ecco l'azione chiave della partita: a due minuti dalla fine, Éder batté una punizione che andò dritta sulla testa di Oscar, spingendola verso il lato destro della porta italiana. Il grandissimo Dino Zoff intuì la direzione e, piegandosi sulle ginocchia, con un incredibile balzo si lanciò verso il pallone, che nel frattempo l'oltrepassò. A pochi centimetri dalla linea della porta, arcuandosi all'indietro, smorzò la forza del tiro con le due mani. Caddero tutti e due per terra. Il pallone, però, non aveva ancora fermato la sua corsa e cominciò a rotolare verso la rete.

L'Italia intera smise di respirare, tranne mio cugino che continuava a urlare "Antogol! Antogol" per il cortile, girando in cerchio come un cavallo durante un numero circense. Io ripresi a recitare, da capo, tutte le preghiere alla velocità del suono: AngelodiDio-Eternoriposo-Angelus-SalveRegina-Benedictus-Preghieradell'incenso-AnimadiCristo-SantoRosario-TeDeum... terminando, ancora una volta, con le Beatitudini. E fu in quel momento che Zoff allungò il braccio sinistro, inchiodando definitivamente la palla sulla linea di porta. I giocatori brasiliani iniziarono subito a sbracciarsi per indicare il gol al guardalinee. Fortunatamente l'arbitro, che si trovava in un buon punto di osservazione, fece continuare il gioco. Due minuti dopo la partita finì.

L'Italia era in semifinale e il Brasile, eliminato, avrebbe sempre ricordato quel giorno come la Tragedia del Sarriá, nome dello stadio di Barcellona. Mio cugino fu umiliato fino all'esame di maturità dai suoi compagni di scuola, perché continuava a esaltare il gol di Antognoni di Italia-Brasile.

E io pensai che le preghiere avessero effettivamente un potere, però non mi spiegavo come mai quelle del bambino brasiliano valessero meno delle mie.

1.

Personalizzare, è da personalizzare.

La frase magica dell'agente immobiliare mi fu svelata mentre seguivo il corso di formazione. Com'è che c'ero arrivato, ancora non lo so; è stato tutto un "proviamo e poi vediamo". Ovviamente è da personalizzare – l'ovviamente dà più veridicità al concetto. E più la casa era brutta, più mi divertiva dire "è da personalizzare". Non sono falso nella vita, anzi direi che era quella l'unica infrazione. È tutto un gioco delle parti: le persone che si rivolgono alle agenzie non hanno le prove ma ugualmente lo sanno. L'agente immobiliare prende una percentuale dal venditore e un'altra percentuale dall'acquirente. Le due cose si annullano a vicenda. La conseguenza è che, alla fine, l'agente lavora per se stesso. E quando favorisce una parte è perché vuole concludere il prima possibile l'acquisto per prendersi la provvigione nel tempo più breve e con la minore fatica. Ovviamente è da personalizzare.

Nella mia agenzia venivo considerato un cane sciolto, perché circa un mese dopo la mia assunzione avevo deciso di non indossare la tipica cravatta di categoria, con il nodo grande come la testa di un bambino. Dopo due mesi avevo smesso anche di vestirmi come se ogni volta fossi dovuto andare a un matrimonio. L'agente immobiliare si veste molto,

molto elegante per acquisire agli occhi del cliente una credibilità che nella realtà non ha. E si vede. Dell'appartamento in vendita solitamente sappiamo poco o nulla. Il 90 per cento delle volte nemmeno a quanto ammontano le spese condominiali. L'informazione base. Quando ci viene rivolta questa domanda, rimaniamo stupiti come se fosse del tutto inaspettata e rispondiamo con un "intorno a..., ma poca roba". Siamo l'approssimazione della società odierna.

Un soppalco viene venduto come un pezzo di pregio della casa. Se si scopre che è abusivo, rimaniamo sbalorditi e sorpresi come il cliente stesso, con la differenza che lui paga e noi veniamo pagati. È uno stupore da personalizzare. Un misero monolocale, giusto un po' più grande, diventa un loft che si suddivide in area giorno e area notte. Quando perfino noi agenti immobiliari non abbiamo il coraggio di spacciare un appartamento per vivibile, diventa "ottimo per investimento". Come dire: fateci vivere un disgraziato che non ha i soldi né per comprare una casa, né per pagare un affitto decente. O non si può permettere un albergo decoroso. Perché alla fine la gente si rivolge a noi? Perché siamo così affamati di appartamenti da vendere o affittare che è meno stancante accettarci che passare il tempo a respingere noi e i nostri opuscoli, bigliettini, le nostre telefonate... E poi facciamo quello che nessuno può permettersi di fare, ossia organizzare gli appuntamenti. Il nostro vero valore aggiunto.

Mentire – o omettere quando va bene – nel mondo di chi vende è la prassi. Chi più, chi meno. Lo sanno tutti e questo ripulisce la coscienza: anzi, il lavoro dell'agente immobiliare è uno sciopero di coscienza.

All'inizio il proprietario di casa è un ottimista nel proporre il prezzo di vendita. L'agente deve lasciarlo sfogare, sapendo che alla fine c'è solo una legge naturale nel mondo immobiliare: il mercato lo fa chi compra, non chi vende. Presto questo periodo di sfogo del venditore finisce e solo allora l'agente immobiliare si avvicina all'acquirente di turno e, dopo aver comunicato la richiesta economica ufficiale, a bassa voce, in maniera del tutto ingiustificata visto che ci sono solo loro due, dice: "Il prezzo è trattabile, possiamo scendere di qualcosina". Alludendo al fatto che grazie alla sua abilità la cosa prenderà il verso giusto. Eppure anche in questo lavoro c'è sempre l'eccezione, c'è sempre la casa che non si riesce a vendere. Ogni agente immobiliare ha avuto, ha o avrà la sua "Indomabile". Il periodo di sfogo del proprietario si esaurisce e noi non riusciamo a venderla comunque. L'unica *exit strategy* sarebbe proporre la vendita per il suo valore effettivo, ma sarebbe un affronto. Una sconfitta. La sera stessa, una volta tornati a casa, non avremmo il coraggio di guardare negli occhi i nostri figli – per chi li ha. E, quel che è peggio, perderemmo il gusto di fare questo mestiere.

Noi in agenzia ne avevamo una, di Indomabile. Ultimo piano con terrazzo, sei stanze, più soggiorno, due bagni, uno stanzino e una cucina abitabile, in discrete condizioni. L'appartamento era bello, molto grande ma difficile da suddividere in diversi ambienti e con tre grossi problemi.

Il primo: sopra il terrazzo campeggiava un'antenna telefonica gigante, che a volte ti veniva da fare il segno della croce, perché sembrava di essere sotto il Cristo Redentore a Rio de Janeiro. Questo scoraggiava un tantino la vendita.

Secondo problema: avendo nelle vicinanze un assessorato, trovare il posto auto sotto casa durante il giorno era praticamente impossibile.

Terzo problema, decisivo: il vicino, un uomo piuttosto anziano, prendeva il sole sul terrazzo di fronte, completamente nudo. E a volte consumava del sesso con donnine allegre. Almeno così aveva dichiarato la signora Erminia del sesto piano. Se non si possiede quella specifica curiosità, difficilmente può essere considerata una vista piacevole.

È abbastanza imbarazzante, soprattutto quando si hanno ospiti. Roberto e io avevamo tentato di metterci in contatto con l'arzillo signore, ma senza successo: nessuno dei vicini aveva il suo numero di telefono e non rispondeva mai al citofono. Per noi agenti immobiliari, invadenti come siamo, non riuscire a prendere contatto con una persona è una grave macchia professionale.

Ormai regolarmente io e il mio collega Roberto, spinti dal nostro capo, Tommaso, sostavamo sul terrazzo da vendere in attesa che il signore godereccio facesse il suo per capire le dimensioni del danno. Ma come quando hai mal di denti per una settimana, poi vai dal dentista e non senti più dolore, ogni volta che arrivavamo noi del signore non c'era traccia. In compenso, trascorrevamo diverse ore lavorative a prendere il sole in attesa dell'evento, e parlavamo dei massimi sistemi. Con Roberto mi trovavo bene, perché anche lui era diventato agente per caso, anche lui era single e non aveva grosse pretese nella vita. Come me, l'acqua lo bagnava e il vento lo asciugava. Sfogava il suo lato cialtrone nel lavoro. Anche perché non c'era la benché minima passione in quello che faceva, la sua era solo una fuga dal mondo, che odiava. Potremmo dire una ribellione "passiva". Era un inguaribile pessimista e detestava il proprio passato, che ignoravo totalmente perché non lo raccontava mai. Devo dire che questo lo rendeva ancora più interessante. Saltuariamente si concedeva di prendere in giro il piccolo paesino arroccato sulle montagne dove era nato, spacciando qualche bella casa in vendita per la sua abitazione. Si faceva una manciata di foto e le mandava ai suoi paesani. Aveva, come ogni italiano medio, un debole per le donne. Ma lui ci metteva lo stesso impegno di quando doveva vendere una casa, anzi molto di più.

Per capire il tipo: "Arturo, quando ti piace una bella ragazza, punta sull'amica brutta. La bella ragazza, che è il tuo vero obbiettivo, si chiederà come mai non stai abbordando lei e si farà avanti cercando di scavalcare l'amica brutta". Ecco, questo mondo qua.

Anch'io avevo la passione per le donne, ma una strategia di questo genere era troppo faticosa per me. Al lavoro ancora ancora, ma in altri campi proprio non mi veniva. Del resto, io nella vita ne ho sempre avuta anche un'altra, di passione.

2.

Nascere a Palermo vuol dire convivere con una serie di problemi, apparentemente irrisolvibili. Così irrisolvibili che spesso sei costretto a emigrare. Chi rimane deve districarsi come se si muovesse in una giungla. Se ci vieni in vacanza sembra, e in realtà lo è, una delle città più belle del mondo. Ma basta trascorrere "la vacanza" + un giorno, e scopri cosa vuol dire vivere nel Meridione.

Per fortuna a chi rimane resta una consolazione: la ricotta! Sì, la ricotta di capra. Quella che si trova nel cannolo e nella cassata. A Palermo la infilano ovunque e io ne sono schiavo. Mi fa dimenticare tutto il resto. Mangerei qualunque cosa, se accompagnata dalla ricotta. Più viene esaltata dal resto del dolce e più mi piace. Per esempio: c'è il cannolo classico, con ricotta e pezzi di cioccolato oppure il cannolo "scafazzato", vale a dire un cannolo preso a martellate, e con i pezzi della crosta fai la scarpetta dentro un sugo di ricotta. Ma per apprezzare meglio la ricotta, non c'è dubbio, bisogna prendere quello che a Palermo chiamiamo lo "sciù". Vale a dire il bignè. Lo si trova generalmente mignon; non essendo fritto, la ricotta non viene uccisa, ma anzi il suo sapore si esalta. Altra mia passione è l'iris. Ne esistono due varianti: fritta o al forno. Il purista la vuole fritta, io invece la preferisco al forno. In pratica è la brioche che si usa per il gelato, riempita di ricotta e pezzi di cioccolato e poi, appunto, fritta o cotta al forno. Su quest'ultima a volte si trova una strisciata di cannella, che a me però non piace. Ma ancora più ignorante, un po' come il cannolo scafazzato, anche qui fritto o al forno, è il cartoccio. La ricotta viene infilata in un "tunnel" scavato in una brioche allungata. Questo vuol dire che ogni volta che gli si dà un morso la ricotta tende a uscire dall'altra parte. Tecnicamente è un difetto, ma a me piace recuperare un po' di ricotta sulla camicia, mi fa godere.

Una volta in terrazzo, in attesa che il signore godereccio facesse il suo, con Roberto avevo tentato di intavolare un discorso sulla ricotta. Ma non era stata una buona idea: Roberto è nato in un paesino in provincia di Catania e, culinariamente parlando, è molto distante dalla ricotta. A Catania l'iris è con la crema, addirittura! La loro ossessione è il pistacchio, lo mettono ovunque. E poi quando un palermitano incontra un catanese, province comprese, il discorso finisce sempre lì: "Si dice arancina, non arancino!" e il catanese risponde: "Arancino, si dice arancino". E il palermitano: "Ma che minchia dici? Arancia, piccola arancia, arancina. Mica è un piccolo albero di arancio!". La discussione sul genere sessuale della palla di riso, fritta esternamente, è un punto fermo della nostra esistenza. All'inizio il tono è scherzoso. Dopo dieci minuti si può arrivare alle mani.

Per quanto mi riguarda, credo che passerò la mia vecchiaia davanti a una vetrina di dolci. So che per questo morirò molti anni prima del previsto, ma saranno anni spesi bene. Mi ritroverò insieme a Mick Jagger in purgatorio. Mick morirà a cento anni, dopo essersi fatto di tutte le droghe del mondo, mentre io a sessanta, per troppa ricotta nel sangue. Non è molto rock and roll, lo so, ma mi sta bene.

Il problema, però, è sempre stato trovare qualcuno con

cui condividere questa mia passione. Arrivavo ad annoiare perfino i camerieri delle pasticcerie. E dire che mi ero pure organizzato evitando gli orari di punta, e avevo allargato i miei dibattiti anche a dolci senza la ricotta. Per esempio la torta setteveli: mousse di cioccolato, bavarese alle nocciole e sette strati di cioccolato con savoiardi. Per i palermitani nasce a Palermo, eppure nel 1997 tre pasticceri veneti hanno registrato il marchio. Questo, ovviamente, non ha dissuaso le pasticcerie palermitane dal continuare a usare il nome "setteveli". Cercavo di tirare fuori un po' di orgoglio cittadino campanilistico, ma niente, la discussione si concludeva sempre con un: "Mi scusi, è da venti minuti che parliamo della setteveli e ci sarebbero altri clienti da servire… alla fine, cosa prende?".

I dolci in questa città sono una cosa seria. Chiedere qual è la pasticceria migliore è come chiedere qual è la religione migliore, ognuno ha la propria. E ogni volta che qualcuno dichiara la preferita, regolarmente qualcun altro aggiunge: "Eh, una volta! Adesso scacò". "Scacò", voce del verbo "scacare": atto che fa perdere credibilità agli occhi di tutti. Insomma, non è più come una volta. Perché "fatti la fama e va' curcati!". Una volta che ti sei fatto la fama, vai pure a dormire, perché camperai grazie a quella.

A me, invece, le grandi pasticcerie piacciono tutte. Ho passato ore e ore a osservare i loro banconi. Di nascosto, cercavo di spiare i laboratori in cui una folla di pasticceri indaffarati non immaginava nemmeno il bene che faceva ogni giorno all'umanità. Poi, a un certo punto, da lì usciva sempre un vecchietto, con indosso una magliettina lisa e un cappellino con il nome della ditta che li riforniva di utensili per dolci, che, un po' ricurvo su se stesso e con le mani consumate, poggiava sul bancone un vassoio pieno di prelibatezze. Ignaro del fatto che, in tutti quegli anni, grazie alla propria abilità, sarebbe potuto diventare milionario se solo avesse avuto un minimo di spirito imprenditoriale.

Generalmente le pasticcerie con laboratorio hanno ottimi cornetti, perché, come mi capitò di dire all'ennesimo cameriere dietro il bancone: "La dilagante invasione di cornetti surgelati è un problema e lo Stato deve fare qualcosa. Al cornetto buono si stacca la parte di sopra... la crema e l'interno della pasta sono un tutt'uno...". Ma anche in quell'occasione i miei ragionamenti vennero interrotti da un: "Mi scusi, si è formata una fila importante. Mi dice cosa prende?". Effettivamente c'era la fila. "Passo domani mattina sul presto e ne parliamo meglio?". Risposta: "No, domani siamo chiusi". Rilancio: "Dopodomani?". Risposta in difesa: "Non sono di turno".

Durante una cena, avevo tentato di coinvolgere anche gli amici di calcetto con cui mi vedevo ogni martedì per la partitella.

Non avevo altre grosse passioni oltre la ricotta e i dolci, nulla che mi smuoveva veramente. Le donne, certo, ma mai come la ricotta. Eppure gli amici erano riusciti a convincermi a giocare a calcetto. Per molti anni ero stato testimone di discussioni e commenti infiniti sulle loro sfide, poi un giorno raccontai che a scuola, quindi tanti anni prima, ero stato un discreto portiere e il loro affetto aumentò sproporzionatamente. Questo perché, nel mondo degli amici del calcetto, è una verità universalmente riconosciuta che nessuno voglia stare in porta. Trovare uno disposto a fare il portiere è una rarità. Ma è qui che scatta la "sindrome dell'allenatore da villaggio che cerca concorrenti per il gioco-aperitivo in spiaggia". Quando gli animatori cercano di coinvolgerti, magari mentre stai prendendo il sole in santa pace, sono le persone più gentili che tu abbia mai incontrato. Ma appena accetti, di solito un po' controvoglia e più per non deluderli, ti ritrovi a tirare una corda, strizzato tra due uomini in slip grondanti sudore, due che nemmeno conosci – non che la conoscenza in questi casi sia molto consolatoria – e che di certo non avresti mai frequentato fuori dal villaggio. In più, lo stesso animatore gentile, adesso è lì che ti sfotte con un megafono in mano, davanti a tutti. E allora ti chiedi: "Ma perché sono qui, perché non sono rimasto a casa sotto le coperte a fissare il soffitto?!". Eppure sei lì. Così gli amici, allo stesso modo, ti invitano a giocare con loro. All'inizio sono tutti gentili, ma, causa agonismo, diventeranno delle belve e tu, povero portiere volontario, sarai vittima di durissimi cazziatoni. Loro negano come un consulente finanziario della Lehman Brothers, ma al primo errore in porta, puntualmente, partiranno tremendi insulti che ti faranno pensare: "Ma perché sono qui, perché non sono rimasto a casa sotto le coperte a fissare il soffitto?". E non verrai cacciato solamente perché nessuno, mai, vuole giocare in porta.

Tra l'altro, anche la persona più corretta al mondo, durante la partita di calcetto, si concede mezzi ai limiti della correttezza: piccole spinte, ostruzioni, insulti a bassa voce per innervosire l'avversario. È l'immunità del campo da calcetto. Vuol dire che lì, in mezzo ai pali, non avrai mai amici, sei un uomo solo. Gli avversari ti insultano e i compagni di squadra pure. E quando l'attaccante della squadra avversaria si avvicina con la palla al piede, non sai cosa sperare: che venga bloccato prima da un difensore oppure che riesca a tirare... perché, in fondo, saresti lì anche per divertirti.

La nostra piccola squadra aveva quattro componenti fissi: Tommaso, dirigente dell'agenzia immobiliare dove lavoravo, sposato con figlia dodicenne e figlio di sei. Di quelli nati per fare il capo, con la sicurezza di avere ragione, sempre e in ogni situazione. Molto credente, tanto che aveva imposto a tutte le agenzie di appendere il crocifisso. Era convinto che sarebbero aumentate le vendite. Roberto aveva proposto di mettere a Gesù una bella cravattona da agente immobiliare, ma lui non aveva colto la provocazione e aveva cercato su internet se ai tempi di Gesù già esistesse la cravatta. Francesco, anch'egli molto religioso e agente immobiliare, sotto Tommaso in fatto di importanza lavorativa ma promettente futuro dirigente, neosposo intenzionato ad avere prossimamente un figlio; e poi c'era Emanuele, anche lui credente, in cerca di moglie (sorvolo sulla professione, perché non ho mai capito quale fosse. So solo che si occupava di marketing in una grande azienda. Una volta aveva anche tentato di spiegarmelo, ma giusto il tempo di allacciarmi la scarpa e me n'ero dimenticato). L'unico agnostico e non timorato di Dio del gruppo ero io. Poi c'era il quinto componente della squadra, che cambiava a ogni partita. Non eravamo mai riusciti a trovare un giocatore fisso, dopo di me non c'era cascato più nessuno. Quindi a turno si sacrificava un collega che accettava sperando di arruffianarsi Tommaso. Per scoprire solo troppo tardi che il suddetto Tommaso, durante la partita, si sarebbe sfogato con lui anche per una palla persa da un altro giocatore.

Forte del mio credito tra gli amici di calcetto, avevo pensato quindi che avrebbero potuto – anche solo per rendermi il favore – farsi miei complici, assecondando la mia passione per i dolci. Così quella sera, alla solita cena dopo la partita, tentai di lanciare l'amo: "Ma voi, l'iris, la preferite fritta o al forno?". Sarà stato il rumore del locale o forse il dibattito con i commenti tecnici sull'ultimo gol, sta di fatto che nessuno udì la mia domanda. Ritentai, schiarendomi un po' la voce, ma l'arrivo della cameriera – l'unica che, dalla media dei voti di tutti, era riuscita ad avere un otto e mezzo –, fu causa di distrazione. Ordinare del cibo a una donna molto bella resetta il cervello di ogni uomo etero italiano.

Attesi quindi che qualcuno si alzasse per andare in bagno, per parlarne a tu per tu, in privato. Il primo fu Emanuele. Lo aspettai davanti al rubinetto e lavandomi le mani gli dissi: “Emanuele, ma ogni tanto perché non andiamo insieme a mangiarci un dolce. Hanno aperto una pasticceria nuova, che poi in realtà è una succursale...”. Fui costretto a fermarmi. Il suo sguardo mi comunicava un certo disagio. “Cosa c’è?” mi venne spontaneo chiedere.

Mi rispose con un: “Arturo, ma tu sei gay?”. Domanda che già conteneva al suo interno una risposta affermativa, come a dire: “E non me ne ero mai accorto, pensa un po’”.

“No, pensavo solo che sarebbe stato piacevole passare un po’ di tempo insieme, in pasticceria. Per esempio, ce n’è una che ha cominciato a fare il trionfo di gola, sai... il dolce citato nel *Gattopardo*. Non esiste una ricetta vera e propria, e mi chiedevo quindi se, a coprire il tutto, ci fosse solo la pasta reale o anche i pistacchi macinati... Sarebbe interessante provarlo. Io però non credo che sia l’originale perché per farlo come si deve ci vogliono circa cinque ore di preparazione e un’oretta di cottura”. Emanuele mi fissava, e credendo che fosse concentrato sulle mie parole continuai con maggiore slancio: “Capisci anche tu che è improbabile riuscire a inserirlo nel processo di lavorazione di una pasticceria” azzardando perfino una domanda: “Quanto dovrebbe costare?”.

“Arturo” rispose dopo interminabili secondi “torniamo di là. Magari la cameriera bona ci sta servendo e noi ce la perdiamo per parlare di dolci”. E fece per uscire dal bagno, rinunciando a lavarsi le mani.

“Emanuele” dissi “ma levami una curiosità, tu eri tra quelli che, durante la visita militare, alla domanda ‘Ti piacciono i fiori?’ mettevano la crocetta su NO calcandola più volte?”.

Sì, quello che mi mancava di più era un “compagno di viaggio” con cui parlare davanti a una vetrina di dolci.

3.

Un single felice non sarà mai felice come una coppia felice.

Avevo sempre creduto a questa frase, tuttavia in trentacinque anni di vita non ero mai riuscito a metterla in pratica. Neanche la passione per il sesso era riuscita a dare un impulso decisivo, anche perché credo di aver anticipato di molti anni quel sorpasso che di solito avviene in vecchiaia, cioè quando l'interesse per il cibo supera quello per l'accoppiamento. Uno sciù alla ricotta mi provocava più emozione di una bella ragazza. O per lo meno: tanto quanto. Il fatto era che nel mio inconscio le due cose si trovavano in concorrenza. Era lui, l'inconscio, che mi avvertiva che una bella ragazza poteva mettere in discussione lo sciù e impedirmi di godere di queste piccole gioie quotidiane. È che, ogni volta che decidi di stare con qualcuno, devi rinunciare a una parte della tua vita, fosse pure una piccolissima parte. Per questo ho sempre pensato che il mio amico di calcetto Emanuele fosse il più simpatico e piacevole dei tre. Perché era single come me.

Quando per esempio stavo con Roberto, il mio collega di lavoro ideologicamente celibe, avevo sempre quella sensazione di libertà che non provavo con i miei amici fidanzati o sposati. Anzi, i miei amici sistemati, come si dice dalle mie parti; gli altri non sono sistemati. Se non percorri il tragitto classico laurea/lavoro/matrimonio/casa/figli, non ti sei sistemato. Recentemente si è più morbidi e si può saltare qualche tassello, ma matrimonio e soprattutto figli, quelli confortano, in particolar modo se sei femmina. Quando si tirava fuori questo argomento con i miei amici, si accendevano delle discussioni così accalorate che perfino il commento postpartita veniva messo da parte.

Fu proprio durante una di queste sere che una mia riflessione, neanche tanto originale, aprì squarci di sincerità. Premessa del mio ragionamento: stare con lo stesso compagno/a per tutta la vita è innaturale. Un tempo funzionava perché il tradimento, tendenzialmente da parte dell'uomo, era culturalmente accettato. Con il progresso, tra i diritti conquistati dalla donna c'è stato anche quello di poter tradire: per la società rimane sempre un retrogusto di "bottanaggine" in più rispetto al tradimento maschile, ma comunque lo ha conquistato. Di conseguenza i consigli per una lunga vita di coppia sono tre:

1. Non sappiamo quando arriverà il tradimento, ma prima o poi arriverà. Eventualmente cercare di capire il perché, e andare avanti, se è il caso.

2. Ci fidanziamo, magari ci siamo pure sposati e abbiamo fatto dei figli. Sappiamo che vivere insieme per sempre, soprattutto sessualmente parlando, è quasi impossibile, quindi la soluzione è far finta niente. Io non so cosa fai tu, anche se potrei immaginarlo, ma non farò neanche quello, e viceversa.

3. Metodo Yoko Ono: tradimento annunciato. Sapendo che la fedeltà di John Lennon non poteva resistere a lungo, la moglie, Yoko Ono, decise di accettare l'infedeltà a patto che fosse lei a indicare l'amante tra le ammiratrici del marito. Non ho mai scoperto se questa storia fosse vera, ma si sa, le fonti durante una discussione a tavola sono sempre approssimative e, immaginando che la possibilità di incontrare in quel momento Yoko Ono fosse molto remota, non sentii il

bisogno di trovare una conferma. E comunque questa terza via può valere soltanto per una coppia artistoide, milionaria, non cattolica, che vive a Londra o a New York.

Queste erano dunque le alternative che misi sul piatto. Poco romantiche, sicuramente, ma realistiche. Emanuele, il sentimentale in cerca di moglie, mi accusò di essere una persona arida e immatura, tanto da non aver inserito, tra le ipotesi, la possibilità di vivere con la propria compagna per tutta la vita da innamorati, senza tradimenti. Francesco, neosposo, spostò il discorso sul sacrificio, che ogni scelta è anche una rinuncia, ma viene compensata dall'amore che si dà e che si prende, che pensare solo a se stessi è una forma di egoismo, segno dei nostri tempi, e che, se i nostri genitori avessero pensato pure loro così, oggi noi non ci saremmo... Io li guardavo con compassione. Anzi, li aizzavo: "Ho messo in crisi le vostre certezze?". L'unico che si limitava a guardare tutta la scena senza prendere posizione e piuttosto divertito era Tommaso.

In ogni caso la mia non era una tesi fatta per smontare le scelte degli altri, ma una constatazione; non era l'atteggiamento di uno che voleva distruggere la famiglia, anzi, a me sarebbe piaciuto averne una! Avevo il timore che l'arrivo di una compagna avrebbe sconvolto tutta la mia esistenza, ecco, e che solo dopo anni, passati a credere che tutto stesse andando bene, mi sarei accorto di essermi allontanato dalla strada che volevo percorrere, e allora tornare indietro non sarebbe più stato possibile.

Questa mia tesi veniva confermata e vidimata dal mio collega Roberto, quello che abbordava la brutta per arrivare all'amica bella.

"Ne conosco a centinaia che un giorno si sono svegliati in questa condizione. Si sono chiesti: ma che vita sto facendo? A quel punto fare un passo indietro, senza causare grossi danni alle persone che vivono accanto a te, è praticamente impossibile. Forse ne causi un po' meno in vecchiaia, quando ormai nessuno dipende più da te. Ma a quel punto è inutile, perché sei a un passo dalla tomba. No, Arturo, non fa per noi questa fine qua".

Ci allungammo sulle sdraio dell'Indomabile, nell'attesa che spuntasse l'anziano *viveur*.

Mi chiesi ad alta voce: "Chissà se il signore che aspettiamo tanto si sta riprendendo la sua vita o se ha vissuto sempre così?".

Roberto: "Non lo so, so solo che come al solito noi stiamo a guardare quelli che si divertono!".

Eppure un giorno, durante la mia solita visita a un bancone del bar, incontrai una ragazza bellissima che osservava con la giusta attenzione i dolci. Li esaminava uno per uno. Come se fosse lì per studio. Mi avvicinai senza farmi notare troppo e per annusarla le feci una domanda che conteneva in sé un certo grado di sensibilità dolciaria: "Certo che usare questi coloranti così forti, come quello che si usa per la mela, sarà esteticamente bello, ma il gusto della mandorla mi è offeso". Stavo affrontando l'annoso problema del colorante che si usa per abbellire la frutta di pasta di Martorana – cioè i dolci a forma di frutta fatti con pasta di mandorle, e tanto zucchero, ovviamente –, colorante che a volte ha un sapore così forte da sovrastare quello della mandorla, che deve essere invece la vera protagonista. L'ultima volta che avevo tentato un approccio simile, la risposta era stata: "Guarda che il mio fidanzato mi sta aspettando in doppia fila davanti al bar!".

Questa volta la donna che avevo davanti sembrava completamente diversa. "Sì, è vero" rispose. "Chi ama veramente la pasta reale non prende la mela. Piuttosto la pesca, che ha un colorante più leggero o, meglio ancora, la pasta di mandorla senza colorante, che sarebbe la cosa più giusta. Ma purtroppo la gente è colpita molto dall'aspetto estetico nel cibo e bisogna accontentarla". Ritirò un vassoio di dolci incartati e se ne andò con un "ciao". Io rimasi lì, imbambolato.

Non solo era la prima volta che non venivo guardato come un pazzo, ma Lei mi aveva risposto con una preparazione e una conoscenza del problema sorprendenti. Lei era la donna della mia vita, e io me l'ero fatta sfuggire...

4.

Quello che era cominciato come una sorta di favore agli amici stava diventando una cosa seria. Infatti una sera Tommaso, durante la cena postpartita di rito, ci comunicò in maniera solenne che aveva iscritto la squadra a un campionato amatoriale. Eravamo pronti e affiatati per farlo, secondo lui.

Questa sua iniziativa avrebbe avuto diverse conseguenze. La prima: oltre al martedì, si prevedevano altri due allenamenti infrasettimanali ai quali si aggiungeva la partita della domenica. La seconda: bisognava impegnarsi a trovare altri tre giocatori stabili, il quinto più almeno due riserve, per comporre definitivamente una squadra vera. La terza: alzando il livello di agonismo, i cazziatoni che ricevevo durante le nostre partitelle si sarebbero fatti più intensi. Quando lo feci notare, scattò la solita sindrome dell'"animatore da villaggio e il gioco-cocktail in spiaggia". Era tutto un "ma non ti preoccupare", "lo facciamo per divertirci", "le cose importanti nella vita sono altre". Io pensai seriamente di seguire le orme di Stuart Sutcliffe, il bassista che suonò con i Beatles per un anno e poi decise di mollare perché aveva capito di non essere granché portato per la musica, e di darsi alla sua vera passione, la pittura. Nel mio caso avrei mollato per dedicarmi completamente ai dolci. Chissà, se quando Stuart comunicò la sua decisione al resto del gruppo, anche in John,

Paul e George scattò il meccanismo dell'"entertainer of the village and the game of the cocktail in the beach", con frasi del tipo: "Ma no, noi suoniamo tanto per gioco", "le cose importanti nella vita sono altre"... E poi, magari, appena sbagliava una nota lo insultavano nei camerini, giusto perché in pubblico non potevano. Qualcuno scrisse che il resto del gruppo gli consigliò di suonare dando le spalle alla folla, per non mostrare la sua incapacità. Non potendo parare dando le spalle all'avversario, ero pronto a mollare. Ma poi pensai a quanti rimorsi avrebbe avuto Stuart se fosse vissuto abbastanza per vedere i Beatles osannati in giro per il mondo. Quindi non solo alla fine accettai, ma accettai pure con entusiasmo.

Bocciata la mia proposta di chiamare la squadra Gli Sciù, presi dall'euforia decisero per un impegnativo Invincibili. Feci notare che poteva essere motivo di presa in giro nel caso di sconfitte a ripetizione, cosa altamente probabile. Ma eravamo in pieno ottimismo da esordio e il nome quindi rimase. La prima sfida fu contro Gli Irriducibili, una squadra di geometri che partecipava al campionato da molti anni – da lì il nome, molto meno compromettente del nostro. Uno rimane irriducibile anche quando perde, anzi diventa un valore. Vincemmo a mani basse, non per bravura nostra. La fortuna dei portieri, in queste partite, è nell'avere a che fare con dei giocatori, e in particolare modo con degli attaccanti, affetti da quella che possiamo definire la "sindrome da karaoke", molto diffusa nel mondo dei campi di calcetto. Come quando nei locali chi prende il microfono pensa di essere Freddie Mercury e con una certa sicurezza, alla domanda "che canzone vuoi cantare?", opta per quella più difficile in assoluto da eseguire, così l'attaccante da calcetto con gli amici pensa di essere Diego Armando Maradona. E quindi, davanti alla porta, è come se prendesse il microfono e dicesse: "Io canto *Bohemian Rhapsody*", per poi sparare alta la palla. E tu portiere ti potrai vantare di non aver preso neanche un gol. In partita il danno immediato dura il tempo di mangiarsi la rete; nella serata karaoke, *Bohemian Rhapsody* dura circa sei minuti. Un incubo. È incredibile come una serata possa diventare divertente se si canta in gruppo, e tragica se si canta da solisti. Come se non bastasse, alla fine della sua performance, il provetto Mercury scenderà dal palco felice della sua prestazione... un po' come se l'attaccante, con il portiere a terra per un acciacco, tirasse sopra la traversa e iniziasse a esultare per il gol che non ha mai segnato.

Quella sera la vittoria eccitò tutti quanti, tranne me. Per non rovinare lo spirito di gruppo, a cena brindai entusiasta, ma avevo altro a cui pensare: la ragazza della pasticceria. Mi mancava il coraggio per chiedere ai camerieri se sapessero qualcosa di Lei, perché erano già stati i bersagli delle mie considerazioni sui dolci. Se avessi fatto anche qualche domanda sulla ragazza, avrebbero chiamato la polizia. Non mi rimaneva che frequentare quel bar dalle 15 alle 16, cioè nell'intervallo della giornata in cui l'avevo incontrata.

Diventai ufficialmente dipendente dagli sciù alla ricotta. Dopo pranzo, il mio corpo ne sentiva un bisogno inestirpabile, tanto che il giorno in cui mi accorsi, al primo morso, che era cambiato il pasticciere ebbi un mancamento. Il sospetto arrivò appena la ricotta toccò il palato. Presi a guardarmi in giro nel dubbio di avere sbagliato bar. Poi mi avvicinai al bancone e feci la domanda: "Ma è cambiato il pasticciere?". Il cameriere, che sotto sotto mi odiava con tutte le sue forze, mi rispose con un leggero sorriso: "Sì. Perché, non le piace il bignè?". Ma il sottotesto era: "Dài, che è la volta buona che ce lo leviamo dalle palle!". Ormai avevo bisogno di quel bignè alla ricotta, di quella pasticceria, di quel pasticciere. Ci sono piccoli piaceri nella vita che sono una certezza, e quando all'improvviso ne vieni privato ti chiedi perché, perché bisogna faticare anche per queste piccole cose innocenti. Non avevo ritrovato la donna della mia vita e in più avevano cambiato il pasticciere, mi sentivo peggio di un cannolo scafazzato.

Quanto al calcetto, avevamo vinto la seconda partita del girone ancora più facilmente della prima. Gli sfidanti non si erano presentati.

Mancava il terzo incontro. Andai al campetto particolarmente controvoglia, nonostante si giocasse la partita determinante per decidere chi sarebbe passato in testa al girone. Gli avversari erano competitivi, i Prigionieri di un sogno: si andava dal mancato giocatore professionista, causa rottura dei legamenti, al tizio che pur di stare lontano dalla moglie almeno una sera a settimana darebbe l'anima. Questa volta anch'io, contrariamente al solito, mi applicai. Sarà stato il mio doppio dispiacere – non vedere più la donna della mia vita/sostituzione del pasticciere – sta di fatto che sentii di dover affrontare il nemico come un vero portiere. E come tale mi comportai. Davo indicazioni alla difesa. Se era il caso la cazziavo. Incitavo l'attacco. Riuscivo persino a non commettere il mio classico errore, cioè il rilancio da fondo campo con i piedi – che tendenzialmente si trasformava in un passaggio al primo attaccante della squadra avversaria, che non faceva altro che infilare il pallone nella mia porta, un po' imbarazzato. Niente di tutto questo: ero tecnicamente "abbuttato", non avevo voglia. Più, inconsciamente, volevo smettere, più mi spogliavo delle croniche insicurezze e diventavo bravo. Grazie a due autogol della squadra avversaria, vincemmo. Decisi che, dopo la solita cena postpartita, avrei potuto festeggiare i miei successi sportivi con uno, o più, sciù alla ricotta.

Avendo abbandonato la pasticceria di sempre, decisi di esplorare nuovi mondi e provare i dolci di un'altra aperta da poco. Sarebbe stato bello chiudere quella serata strepitosa con un posto nuovo dove poter aumentare con gioia e letizia il mio colesterolo. Ancora non potevo sapere che, varcando quella porta a vetri, la mia vita sarebbe cambiata! Entrai puntando con gli occhi la vetrina dei bignè, cancellando ogni dettaglio intorno e, mentre ne apprezzavo le fattezze e il profumo, riconobbi la sua voce: "Qui c'è la possibilità di assaggiare la pasta di mandorle senza coloranti!". Alzai lo sguardo con il cuore che mi batteva all'impazzata e d'istinto le dissi: "Ma dove sei stata tutto questo tempo? È da settimane che frequento la pasticceria del nostro incontro nella speranza di rivederti!". Nonostante la confidenza senza ragione, Lei non diede cenni di turbamento.

"Ma non è la *mia* pasticceria! Mi avevano parlato bene del loro pasticciere e volevo provare i suoi dolci".

Cercai subito di rendermi utile: "Guarda però che quel pasticciere non lavora più là!".

"Lo so" mi rispose, pronta "adesso lavora qui da noi. Carlo, fai provare un bignè con la ricotta al signore, vediamo se è di suo gradimento". Prese il bignè e me lo porse con un meraviglioso e avvolgente sorriso. "Adesso scusami, ma devo andare in cassa".

Cercai di non mostrare particolare interesse a Lei: "Prima ti posso chiedere una cosa?".

"Dimmi".

"Mi vuoi sposare?".

Per la prima volta mostrò un leggero stupore. "Mah, io comincerei con l'andare a bere qualcosa una sera".

"Anche questa sera?".

Ci pensò su: "Sì, anche questa sera, se hai la pazienza di aspettare una ventina di minuti".

"Ce l'ho, ce l'ho!".

Rimasi solo con il bignè e il cameriere Carlo, che fingeva di pulire la vetrina, ma in realtà stava lì con le orecchie ritte. Mangiai velocemente il bignè, che era buono ma ovviamente in quel momento mi parve la cosa più buona del mondo, e chiesi subito informazioni su di Lei: "Mi scusi, signor Carlo, ma la signorina mi pare di capire sia la proprietaria".

"Sì, la sua famiglia ha due pasticcerie. E da poco la signorina ha aperto questa".

Era decisamente la donna dei miei sogni. Mi sentivo già proiettato in una vita come quella di Filippo di Edimburgo, il marito della regina Elisabetta. I suoi titoli nobiliari sono: Sua Altezza Reale, Principe Filippo, Duca di Edimburgo, Conte di Merioneth, Barone Greenwich, Cavaliere Reale del Nobilissimo Ordine della Giarrettiera, Cavaliere dell'Antichissimo e Nobilissimo Ordine del Cardo, Gran Maestro e Primo e Principale Cavaliere di Gran Croce dell'Eccellentissimo Ordine dell'Impero Britannico, Membro dell'Ordine al Merito, Compagno dell'Ordine d'Australia, Membro Addizionale dell'Ordine della Nuova Zelanda, Compagno dell'Ordine di Servizio della Regina, Commendatore dell'Ordine di Logohu, Decorazione delle Forze Canadesi, Signore del Nobilissimo Consiglio Privato di Sua Maestà, Consigliere Privato del Consiglio Privato della Regina per il Canada, Personale Aiutante di Campo di Sua Maestà, Lord Grande Ammiraglio del Regno Unito, ma nella pratica è il marito della Regina. Pochi doveri impegnativi, ma molti privilegi. Che nel mio caso si traducevano nella possibilità di salire dietro il bancone e mangiare tutti i dolci che volevo, quando volevo.

"Mi scusi, le posso fare io una domanda?" mi chiese il signor Carlo, che mi osservava assorto nel mio futuro monarchico.

Annuii, mentre mi leccavo i baffi.

"Ma lei è il tizio che passa ore e ore davanti ai banconi delle pasticcerie per fare tante domande strane ai camerieri?".

La mia fama ormai si era sparsa nel mondo dei camerieri palermitani.

Risposi un po' indignato: "No, non sono io!".

"Ah, mi scusi".

Non ci credeva, era chiaro, ma non voleva creare un precedente con qualcuno che poteva diventare il futuro Filippo di Edimburgo della pasticceria.

"Si figuri!".

Quando mi preparo a una serata con una persona a cui tengo non ho più certezze. Penso alle cose peggiori che mi possono capitare, in realtà dei classici: che mi puzzi l'alito, di sputazzare mentre parlo, di avere qualcosa fra i denti, la forfora sulle spalle della giacca, le ascelle sudate e maleodoranti o quella che considero la cosa peggiore in assoluto. Sì, quando esco con una ragazza che mi piace tanto mi capita di pensare anche: "E se mi scappa una scoreggia?... Dovrei fare finta di niente? Dovremmo fare finta di niente? Che comportamento dovrei tenere?". Se ti scappa un rutto è più gestibile, sempre imbarazzante, certo, ma l'ironia ti viene incontro, invece con quell'altra no, neanche una risata ti può aiutare. Soltanto un infarto potrebbe far dimenticare una scoreggia al primo appuntamento.

Preso da questi atroci dubbi, pensai che la strategia migliore fosse andare in bagno e calmarmi. Sulla strada incrociai la donna della mia vita, il cui nome ancora ignoravo: "Stai andando in bagno?".

"Sì".

"Usa pure il nostro" e mi indicò una porta.

Non era certo il momento più romantico del nostro incontro, ma sta di fatto che era la prima volta che la guardavo bene senza farmi coinvolgere dall'emozione di aver incontrato la donna della mia vita. Era obiettivamente bella. Capelli lisci castani come gli occhi, zigomi alti. A me bastava questo. Percepivo che fosse anche alta e magra, ma in quel momento non avevo altre curiosità sul suo corpo.

Commosso da tanto affetto nell'indicarmi il bagno, una volta dentro cercai di adoperarmi onde evitare incidenti traumatici di cui sopra, e per prima cosa aprii la finestra, regola numero uno! La cosa più difficile fu asciugare le ascelle con l'asciugatore: per riuscirci dovetti spalmarmi al muro. Uscii dal bagno, sperando di aver preso tutte le giuste precauzioni. Sulla soglia rincontrai la donna della mia vita: "Dieci minuti e sono pronta" disse ed entrò dove io ero appena uscito. Appena chiuse la porta, giusto pochi secondi dopo, sentii lo sciacquone. Non lo avevo tirato! Non era come aver fatto la cosa peggiore in assoluto, ma quasi. Per tutta la serata avrei immaginato Lei che, disgustata, preme il pulsante dello sciacquone. E Lei mi avrebbe guardato, tutta la serata, come quello che non tira l'acqua. Avrebbe detto alle amiche: "Simpatico, ma non tira lo sciacquone!". Questa cosa non era superabile con nessun approccio al mondo.

Presi la decisione più drastica, ma anche l'unica possibile. Quando Lei uscì dal bagno, mi cercò e non mi trovò, perché semplicemente ero andato via. Per evitare quella che a Palermo viene definita la mala figura.

5.

Quel mancato appuntamento lo vissi come una delusione d'amore. E ho sempre pensato che le delusioni d'amore, grandi o piccole che siano, si possano risolvere in un solo modo: soffrendo. La sofferenza è la via per la guarigione. Andare in giro mentre penso a quanto sono disgraziato è catartico. Essere visto da tutti come un disgraziato è catartico. La cosa non deve durare a lungo, perché perderebbe la giusta efficacia: drammatizzare aiuta a sdrammatizzare.

In questa fase di sofferenza il passato, che qui in realtà era ridotto a neanche un'ora, è fondamentale. Perché è un continuo rimuginare gli errori commessi, i passi non fatti, le parole non dette e bla bla bla. In questo caso aggiungerei anche lo sciacquone non tirato. Ma la cosa peggiore è quando il passato si presenta davanti ai tuoi occhi, nel momento catartico della sofferenza. Nel mio caso il passato si presentò nella persona di Lisa.

Lisa era una ragazza kosovara che avevo incontrato per caso alcuni anni prima in un ristorante a New York, parlava italiano. La premessa che qui occorre fare è che qualunque cosa ti succeda a New York diventa cinematografico. Perché New York è un film e tu sei uno dei suoi personaggi. Tutto è magico, perfino il gesto di prendere un taxi ti fa sognare. Incontrare una ragazza bella come Lisa nella Grande Mela significa vivere il film anche dopo i titoli di coda. L'entusiasmo di questo incontro meraviglioso mi fece superare anche il trauma di aver esaurito i giga a disposizione del telefonino negli Stati Uniti, solo per controllare, senza che lei mi vedesse, dove cavolo si trovasse il Kosovo. E come mi capita sempre appena mi innamoro, la donna davanti a me era semplicemente perfetta. Ogni piccolo difetto fisico aveva un'affascinante giustificazione che lo rendeva unico e stupendo. Se si riuscisse a fissare questa fase dell'amore, non ci sarebbero più guerre nel mondo. Lei studia recitazione e ti sembra bellissimo. Esclama "wow" quando le dici che sei italiano e ti sembra bellissimo. Scopri che ha un fidanzato e tu continui a pensare che sia comunque bellissimo. Perché è evidente che lo lascerà per stare con te. O, almeno, è quello che credi il giorno dopo a Central Park, ascoltando *You are So Beautiful* eseguita da Joe Cocker nelle versioni più disparate che vanno da arrangiamenti complessi a quelli minimali, a come lui pronuncia il suo ultimo "...to me" (più o meno sospirato, temo, a seconda di quanto si fosse divertito la sera prima). E quando circa un anno dopo – anno in cui hai pensato continuamente a lei, a Joe Cocker e a Central Park – ricevi il seguente messaggio: "Mi sono lasciata con il mio fidanzato!", il cervello si avvia verso un futuro fatto di lunghe traversate Italia-New York, che vivrai come fossero spostamenti in metro. A colpi di "cinque" con gli steward e le hostess dell'Alitalia, ormai complici dei tuoi viaggi. Con consigli agli amici italiani per quanto riguarda la ristorazione: "C'è quel ristorantino afro-giappo-cubano fra la Quarantottesima e la Settima avenue..." detto con la finta modestia di chi sa, con sbuffamenti per i film americani doppiati in italiano e con la deriva irritante dell'"A New York i pedoni non rischiano la vita come in Italia", che a poco a poco diventa "Non come qui da voi!". E poi ci sarà il trauma dei figli che, nonostante il nome smaccatamente italiano – Rocco, Italo,

Benito, Maria – non si sentiranno mai italiani come avresti voluto, e che una volta adulti penseranno: "Bella l'Italia, ma in vacanza!".

Decisi quindi di tornare a New York per lei, ma con un'astuta strategia presentai il mio arrivo come un viaggio di lavoro già previsto. Così l'unico "cinque" che feci fu quello ideale all'amministratore delegato della compagnia aerea, che aveva appena incassato una somma considerevole per un biglietto acquistato all'ultimo momento. Ci ritrovammo al solito ristorante: "Mi sono lasciata con il mio fidanzato, per questo non ho più risposto alla tue richieste di commentare le foto dei dolci siciliani sui social". Pensai che doveva essere accaduto tra la foto della sfinge di san Giuseppe e la torta Savoia, perché effettivamente non avevo letto niente di suo, nemmeno dietro sollecitazione.

Mi sforzai di non esprimere la mia più felice, viva e vibrante soddisfazione nel sapere la lietissima novella e, anzi, per un po' tenni un'espressione comprensiva e dispiaciuta. Poi, appena finito di mangiare il ramen, una zuppa giapponese che in Italia non avrei mangiato neanche sotto tortura, passai al contrattacco romantico: "Ti ricordi quando ci siamo incontrati la prima volta? Fu proprio in questo ristorante, Rintintin".

"È vero!" rispose guardandosi intorno.

"Ma dimmi un po', quanto ha influenzato il mio ingresso nella tua vita questa scelta di lasciare il fidanzato?".

Qui, ahimè, anticipai un po' i tempi, e in lei emerse tutta la franchezza delle ragazze dell'Est che hanno fatto la guerra. Così, pensandoci seriamente per qualche secondo, rispose: "Ma proprio nulla!".

Cercai di non mostrare la mia delusione: "Certo che a voi la guerra vi ha tirato fuori una durezza!".

"In che senso?".

"Niente, dell'altro vino?".

Quella sera andò così ma, nonostante tutto, il mio ottimismo mi diceva di proseguire. L'unica difficoltà fu inventare impegni lavorativi durante la giornata, per non far capire che in realtà ero partito dall'Italia solo per lei. Perché un agente immobiliare che vende appartamenti a Palermo avesse appuntamenti di lavoro a New York non si spiegava... Ma ogni sera stavamo insieme, e il mio film americano continuava.

A rendere più credibile la mia copertura a New York, ci pensò l'inaspettato arrivo del mio collega Roberto. Aveva avuto una discussione con un cliente e per politica aziendale era stato costretto a dargli ragione. Stufo di quella situazione, sapendomi in America, aveva pensato di staccare e raggiungermi per una settimana, acquistando un biglietto che ovviamente costava un quarto di quello che avevo pagato io. Perché i Gassman del *Sorpasso* trovano sempre dei biglietti più convenienti dei Trintignant del *Sorpasso*. In presenza di Lisa, Roberto avrebbe simulato discussioni di lavoro fitte e intense. Anche se lui riteneva tutta questa fatica eccessiva per una donna che rischiava di incastrarmi. Credo che reggesse la pantomima solo per amicizia e per quella speranza che si può sintetizzare nella più comune delle frasi: "Chiedile se c'ha un'amica".

Con Lisa vivemmo quasi tre settimane in pieno amore. Come i due protagonisti di *Love Story*, ma a rendere tutto più bello fu il fatto che nessuno morì di leucemia fulminante. Però in comune a Oliver Barrett IV, anche io avevo una notevole carenza di denaro: lui perché aveva litigato con il padre ricco per stare con la sua donna, io perché facevo l'agente immobiliare in Italia. La quantità di felicità nel mio corpo aumentava in maniera proporzionale alla diminuzione di contanti nel mio conto corrente. New York era un tantino cara. E alla domanda di lei: "Cosa sarà di noi? Quando ci rivedremo?" io diplomaticamente rispondevo: "Forse dobbiamo smetterla di vederci a New York, perché è troppo invadente come città”. Ma ero comunque felice. Ero comunque felice fino a quando Lisa, in tutta la sua bellezza esteriore e interiore, con tutti i suoi affascinanti difetti, mi mise con le spalle al muro. La luna di miele era finita, insieme ai miei soldi, e si doveva ricominciare a vivere la vita di tutti i giorni e immaginare quelli futuri. Cosa fare, ritornare in Italia o crescere Italo a New York che mi storpia i nomi dei dolci siciliani, tipo: “Io amo la cannola!”. Non presi nessuna decisione.

Fu proprio lei a ricordarmelo quando la rividi a Palermo, anni dopo quel mio viaggio a New York e qualche giorno dopo il bidone alla donna della pasticceria. Eravamo a fine giornata, in agenzia, e stavo aspettando Tommaso, che mi aveva invitato a una cena del suo club, uno di quelli che accetta solo gente ricca e bella, o anche gli amici di gente solo ricca e bella. Roberto con un sorriso smagliante, che di solito associo a questioni di donne, mi disse: “Ho una sorpresona per te!”.

Ed ecco che entrò Lisa. Vederla a Palermo, in quel momento esatto della mia vita, fu scioccante. Forse Dio mi stava dicendo di non ripetere più gli stessi errori o forse di rimediare all'errore passato. Insomma, i messaggi di Dio non sono mai stati particolarmente chiari. Nella testa partirono all'istante tutte le versioni di *You are So Beautiful* di Joe Cocker e tutti i momenti meravigliosi passati con lei.

“Cosa ci fai qui, Lisa?”.

“Sono andata a trovare i miei nonni in Kosovo e ho pensato di fare un salto in Italia su invito di Roberto”.

“Tutto, dico tutto, ma non ti fidanzare con Roberto”. Lo pensai e basta, ma evidentemente la mia faccia esprimeva il concetto: “Non ti preoccupare, non c'è nulla fra me e lui. Prendiamo qualcosa da bere, mentre Roberto finisce di lavorare?”.

Scrissi a Tommaso che lo avrei raggiunto al club per gente ricca e bella in un secondo momento, mentre mi avviavo verso una discussione che percepivo essere la madre di tutti i rimorsi.

Una volta seduti davanti a una bibita, finimmo subito lì, alla nostra storia passata. Io cominciai a elencare tutte le cose belle che sarebbero successe se la nostra relazione fosse andata avanti. Parlai anche di Rocco, Italo e Maria. E conclusi: "Purtroppo le distanze non aiutano a sostenere una storia d'amore".

Lisa invece attaccò un discorso che evidentemente si teneva dentro da parecchio, e che sostanzialmente mi dava del vigliacco: "È troppo facile dare questa spiegazione. Noi stavamo benissimo insieme. Questo è stato il problema, non le distanze. Il passo successivo sarebbe stato fare le cose sul serio. Diventare i genitori di Rocco, Italo e Maria. Ma sei tu che ti sei tirato indietro. Hai iniziato a contestarmi delle cose assurde, tipo la collusione con la mafia dell'esercito americano durante lo sbarco in Sicilia nel '43!".

Risposi prontamente: "Ma è vero!".

"Sì, ma io sono nata nel Kosovo!".

"Sì, ma hai preso la cittadinanza americana e con essa anche le responsabilità del popolo americano".

"Arturo, smettila! Nel mondo ci sono due categorie di uomini: l'uomo che sa cosa vuole e combatte per averlo. E poi ci sei tu e la tua categoria. Che non sapete cosa volete nella vita e rompete le palle al prossimo!".

La guardai fisso negli occhi, non sapevo cosa rispondere, perché un fondo di verità c'era. Perciò dissi: "Vedo che il tuo italiano è notevolmente migliorato! Articoli molto bene i concetti. Una volta avresti detto 'rompete palle'". Non apprezzò.

"Per quanto vuoi andare avanti in questo modo?".

Tentai una misera difesa: "Però quello che provavo per te era sincero".

“Se avessi avuto un minimo dubbio, non sarei qui a parlarti. Però chiediti perché sono venuta a Palermo e non ti ho avvisato!”.

Silenzio.

“Mi spiace, non volevo essere così dura, ma so solo io quanto ho sofferto per te”.

Silenzio.

“Scusami, ma ora devo andare, mi aspetta Roberto”.

Alzata del mio sopracciglio destro.

“Ti ho detto che mi sta solo ospitando”.

Mi baciò e se ne andò, lasciandomi da solo con la mia coscienza. E, come per il calcetto, mi chiesi perché quel giorno non ero rimasto sdraiato a letto a fissare il soffitto.

Raggiunsi lentamente il club di gente ricca e bella, sperando che il disagio di trovarmi lì mi avrebbe aiutato a distrarmi. Dopo aver salutato Tommaso e sua moglie Silvana, mentre mi accomodavo accanto a un paio di cinquantenni che mi furono presentati per nome e nome dell’azienda di famiglia (che in quegli ambienti sostituisce il cognome), curiosando fra le tavolate tonde da matrimonio intravidi la persona che meno mi aspettavo di trovare: la ragazza della pasticceria che avevo bidonato, seduta a un tavolo tra gente ricca e bella. Pensai che forse era arrivato il momento di passare alla categoria “dell’uomo che sa cosa vuole e combatte per averla!”. Se fossi riuscito a portare a termine l’impresa, questo attimo preciso sarebbe stato quello che si racconta ai figli quando chiedono: “Papà, come hai conosciuto la mamma?”. Dovevo buttarmi alle spalle quella storiaccia dello sciacquone, e andare avanti. Così chiesi scusa, mi alzai e mi avviai verso la mia forse futura moglie.

6.

Nel club di gente ricca e bella si stavano prendendo importanti decisioni. Bisognava organizzare la rappresentazione della Via Crucis. E come ogni anno veniva interpretata dai soci. Era un momento così delicato che con un braccio Tommaso bloccò la mia fuga verso di Lei. I vari ruoli della Via Crucis erano storicamente ricoperti dagli stessi soci. Il criterio di assegnazione avveniva, ovviamente, secondo l'ordine di importanza del socio stesso. Al più potente, un senatore di destra, tale Lo Jacono, veniva offerto prima il ruolo principale, cioè quello di Gesù, poi a scendere tutti gli altri fino a Ponzio Pilato. Nessuno aveva il coraggio di proporgli il ruolo di Barabba, anche se c'era qualcuno che la battutina, a bassa voce, la faceva sempre. Il senatore, magnanimamente, uno dopo l'altro rifiutava tutti i ruoli, che quindi venivano assegnati ad altri soci, anche qui sempre i soliti.

Quello di Gesù, per una tradizione più recente, veniva conteso fra due pretendenti: il notaio Nino Castrogiovanni e l'avvocato Giuseppe Alfieri. La lotta per ricoprire quel ruolo stava diventando drammatica, tanto che negli anni aveva diviso il club in fazioni. Chi a favore del notaio, per la sua indole pacifica, e chi dell'avvocato, per la sua somiglianza a Gesù Cristo. Per uscire dall'impasse, si stabilì che il posto di Gesù sarebbe stato sorteggiato ogni anno. Chiunque si poteva candidare, ma nessuno osava farlo, lasciando l'arena ai due aspiranti, che per tutta la serata si guardavano in cagnesco.

Appena il bambino bendato pescò uno dei due bigliettini, l'intera sala ammutolì. E quando il presidente del club lesse il nome del fortunato: "Avvocato Giuseppe Alfieri!", il notaio, coerente con la sua fama di uomo pacifico, dichiarò: "Non contesterò il risultato, ma è la terza volta di seguito che Alfieri interpreta Gesù, lo trovo molto spiacevole. Qualcosa non quadra". E uscì dalla sala. Intanto i sostenitori dell'avvocato applaudivano e si avvicinavano per congratularsi con il prescelto che, poco sportivamente, dichiarava: "Che volete che vi dica, evidentemente lassù vogliono così!". Fu allora che mi resi conto che quel volto che mi era sembrato familiare io lo conoscevo: veniva a giocare ogni tanto a calcetto con noi, era il rimpiazzo che Tommaso chiamava quando non trovava schiavi del suo ufficio disponibili. Ironia della sorte, in campo era più popolare per le sue bestemmie che per l'abilità con i piedi. Tanto che nelle chat si usava scrivere: "Bestemmia questa sera è dei nostri?".

Ma di tutto questo a me non importava nulla, mi importava soltanto guardare Lei. Terminata finalmente l'assegnazione dei ruoli, mi alzai per raggiungerla, ma era scomparsa. La cercai ovunque, perfino nel bagno delle donne. Nulla, era sparita. Chiesi in giro, ma nessuno aveva sue notizie e Tommaso, a cui tentai di descriverla, non riusciva a capire chi fosse. Per la seconda volta avevo perso la possibilità di incontrare la mia forse futura moglie.

Così per l'ennesima domenica mi ritrovai controvoglia in un campo di calcetto. Il comportamento più sensato era tornare alla pasticceria e costituirmi, ma mi mancava il coraggio. Incontrarla per caso sarebbe stato meno imbarazzante. A creare l'occasione ci pensò in qualche modo Gesù.

L'avvocato Alfieri, a pochi giorni dalla Via Crucis e a pochi minuti dalla fine della partita, si scontrava con il difensore della squadra avversaria, tale Salvatore che, guarda caso, di cognome faceva Diotiaiuti. Cadde a terra, urlando dal dolore e toccandosi il ginocchio sinistro. Ovviamente con bestemmione di accompagnamento. La notizia dell'infortunio circolò subito nell'ambiente del club. Qualcuno fece anche dell'ironia: "Si dovrebbe rialzare almeno altre due volte...". L'interpretazione dell'avvocato nella Via Crucis era a rischio.

Negli spogliatoi ci fu una lunga discussione e per la prima volta furono accantonati i soliti commenti sulle azioni della partita dove ci si rinfaccia a vicenda di tutto. Io tentai un ragionamento ottimista: "Ma anche se comincia già zoppo, nessuno se ne accorgerà mai, la gente penserà a una rappresentazione particolarmente sofferta". Rispondeva prontamente Tommaso: "Ma il problema si pone nel momento in cui non riesca a terminare la Via Crucis. Se dopo la prima caduta non si rialza?". Alla fine si optò per la ricerca di un Gesù che subentrasse all'avvocato nel caso in cui non fosse riuscito ad arrivare in fondo alla rappresentazione. Per evitare incidenti diplomatici, il notaio Castrogiovanni non fu minimamente preso in considerazione come sostituto e si decise per una persona esterna al club, evitando eventuali gelosie tra soci. Era la mia occasione. In quel ruolo da protagonista assoluto, la mia Lei sicuramente mi avrebbe notato: sarebbe stato un modo particolarmente originale per rientrare nella sua vita. E magari, nel caso fosse stata molto religiosa, interpretare la parte di Gesù avrebbe fatto curriculum. Così alla domanda: "Papà, come hai conosciuto la mamma?" avrei potuto rispondere: "Eh niente, mi notò il giorno della mia crocifissione!".

Mi feci avanti e dissi in maniera solenne: "Io sono il prescelto!". Ma nessuno mi ascoltò, presi com'erano a pensare al rimpiazzo. Allora mi avvicinai a Tommaso, che si stava rivestendo accanto all'avvocato, ancora dolorante, e mi ricandidai in maniera meno teatrale: "Tommaso, se volete posso farlo io".

L'avvocato mi osservò a lungo e, valutandomi un rivale poco temibile, tirò un bestemmione e disse: "Certo che puoi farlo tu!".

Tommaso, senza proferire parola, ma con il solo sguardo, mi disse: "Tanto lo so perché vuoi farlo!". Negare, negare, negare.

Così, il giorno della Via Crucis, fu stilato un piano dettagliatissimo per un'eventuale sostituzione: io, vestito da Gesù, quindi con i sandali di cuoio e una tunica bianca – chissà perché poi Gesù viene vestito sempre come un hippie – e con un giubbotto a coprirla, avrei seguito l'Alfieri a distanza ravvicinata, ma non troppo, per non farmi notare. Al primo cedimento, ci sarebbe stata la sostituzione, veloce e indolore. Tommaso mi avrebbe preso il giaccone, sporcato il viso di finto sangue e messo la corona di spine in testa. Questi erano gli accordi.

Alla partenza della Via Crucis, però, di Tommaso non c'era traccia, si parlava di un appuntamento di lavoro andato per le lunghe. La sua assenza mi fece salire l'ansia.

Il mio stato d'animo non era troppo diverso da quello che avevo di solito quando stavo in porta: speriamo che si faccia male per poterlo sostituire, ma speriamo anche di no. Perché comunque tutto il club assisteva alla Via Crucis. Tra l'altro, un po' per il vigliacco clima pasquale che si finge primaverile tanto da spingerti a fare le gite fuori porta, per poi sorprenderti con un vento gelido, e un po' per le vesti leggere che indossavo, cominciavo a sentirmi montare un pericoloso raffreddore, che avrebbe penalizzato la mia eventuale performance.

Prima tappa: Gesù viene condannato a morte. E fin qui tutto bene. L'avvocato Alfieri, con una fintissima umiltà, accetta la condanna. Barabba, interpretato dal nipote del senatore Lo Jacono, esulta. Seguono battutine varie.

Seconda tappa: Gesù si carica la croce in spalla. Accanto a lui un centurione romano lo aizza come fosse un fantino con il cavallo durante il Palio di Siena. Gesù lo guarda male, in segno di sfida. In nessuna delle Sacre Scritture viene riportata una reazione simile: una libera interpretazione dell'avvocato. L'imprevista occhiataccia è da attribuirsi al fatto che a interpretare il centurione sia tale Giovanni Castrogiovanni, che altri non è che il nipote del notaio Castrogiovanni.

Terza tappa: Gesù cade per la prima volta.

E qui avvenne quello che nessuno avrebbe voluto succedesse. Contrariamente alle Sacre Scritture, Gesù non riuscì a rialzarsi, nonostante il centurione insistesse con una solerzia non riportata da nessuno degli apostoli. Ma tutti sapevano che, per intrighi vari, veniva messo in scena un Vangelo apocrifo. L'avvocato Alfieri si era fatalmente inginocchiato con la gamba sbagliata. Qualcuno riconobbe nel grido di dolore anche una bestemmia strascicata. Ma l'entourage dell'avvocato rassicurò i fedeli astanti che quella frase, forse facilmente fraintesa, in realtà corrispondeva a un: "Poco Dio". Una reprimenda che Gesù rivolgeva al popolo.

Superato brillantemente l'incidente diplomatico, scattò l'operazione Cambia Gesù. All'avvocato veniva tolta la corona, a me veniva tolta la giacca, sporcato il viso di finto sangue e messa la corona. Fu tutto così rapido che non mi accorsi di chi prese il posto di Tommaso, fatto sta che nel giro di quindici secondi divenni Gesù. All'inizio feci fatica a impersonarlo al meglio, ma riuscii a entrare nella parte di un sofferente anche grazie alla croce, insensatamente pesante per una rappresentazione. Lungo il tragitto cercai di ripassare tutte le tappe per non fare brutte figure agli occhi del pubblico e soprattutto davanti agli occhi di Lei – che dall'inizio della cerimonia cercavo senza successo. Ma la vera difficoltà era il moccio che mi colava dal naso e che cercavo in continuazione di tirare su, emettendo dei suoni che certo non facevano ben figurare il figlio di Dio. Al centurione – con la sostituzione del Gesù il nipote del notaio aveva deciso di andar via, l'evento non era più interessante – chiesi un aiuto per affrontare l'emergenza, ma ormai era così entrato nella parte che non faceva altro che frustarmi, ripetendo in maniera automatica: "Camminam!". Secondo lui, la "m" finale rendeva la parola più latina.

Quarta tappa: Gesù incontra la madre, Maria. Interpretata dalla reale anziana madre dell'avvocato Alfieri, non era stata avvisata in tempo della sostituzione. Così appena si avvicinò a quello che pensava essere il figlio lanciò un urlo di spavento e aggiunse: "Tu non sei mio figlio!". Sgomento tra gli studenti dell'Istituto comprensivo Rodari Gramsci di Sestu, città gemellata con Palermo, in visita per le festività pasquali che, disgraziatamente, si trovavano proprio di fronte alla scena. Per non creare troppa confusione, cercai di farla ragionare senza uscire dal personaggio: "Madre, ma cosa dici? Sono tuo figlio, Gesù!", ma purtroppo lei non volle saperne: "Tu non sei mio figlio, impostore!". Questa frase, nei giorni successivi, fu al centro di una polemica a opera di alcuni esponenti di un'associazione di estrema destra: "Non siamo noi contro gli ebrei, sono loro che ce l'hanno con il nostro signore Gesù Cristo!". L'anziana madre fu celermente accompagnata dall'organizzazione dal suo reale figlio, per rassicurarla.

Quinta tappa: Gesù, secondo alcuni Vangeli, incontra lungo la strada un signore, tale Simone di Cirene, detto il Cireneo, che è costretto ad aiutare il condannato a portare la croce. Divenne così famoso che tutt'oggi si definisce "cireneo" colui che sopporta colpe non proprie. Su questo ero preparato, perché da piccolo questa storia mi aveva molto colpito. Evidentemente, però, qualcosa andò storto perché nessuno venne da me presentandosi come il Cireneo. Era il momento che stavo aspettando da un pezzo perché finalmente mi avrebbe permesso di soffiarmi il naso, ormai gocciolante in maniera imbarazzante. Vagai per almeno dieci minuti alla ricerca: "È il Cireneo?".

"No, sono il geometra Clementucci e interpreto un contadino, piacere!".

"Lei, mi scusi, è il Cireneo!".

"Sono Caruso, un volontario della Protezione civile, interpreto un pastore".

"Forse lei è il Cireneo?".

"Piacere, Righetti. Sono vestito da viandante, ma sono della Digos" strizzandomi l'occhio.

Tutti si sentivano in dovere di confessare il loro nome e il ruolo davanti a una domanda fatta da Gesù in persona, o quasi. Mesi dopo si scoprì che il commercialista Di Stefano, a cui era affidato il ruolo di Simone di Cirene, aveva boicottato la manifestazione in quanto solidale con il notaio Castrogiovanni.

Fu alla sesta tappa che io, Arturo, caddi come Gesù, anzi feci un tonfo. Ormai i miei tentativi per nascondere il naso gocciolante erano vani. Oltre a non essere rispettoso nei riguardi di Gesù, il fatto era anche storicamente falso. Almeno non ricordavo di aver mai visto nessun dipinto o scultura con un Gesù in croce vittima di raffreddore. Ripiegato sulla croce e accartocciato per via del muco, vidi infine i piedi di una donna, facente parte delle pie donne che accompagnano il Cristo, avvicinarmisi. La sua mano gentile mi porse un panno, e pensai: "Finalmente qualcuno che ha capito il mio dramma!". Lo afferrai ringraziandola: "Grazie, pia donna, questo raffreddore sta diventando una seconda croce", e soffiai espellendo tutto quello che potevo. Quando fui libero di sollevare il capo, mi resi conto che la pia donna che mi aveva appena aiutato era Lei. Il velo in testa esaltava i suoi meravigliosi lineamenti, le labbra e gli occhi. Tutto magnifico, tranne la sua espressione: di condanna. Cercai di capirne la ragione, sforzandomi di non uscire dal personaggio: "Perché mi guardi in tal guisa, pia donna?". La sua risposta fu un secco: "Ma hai capito chi interpreto?". Mi colse di sorpresa. Ripassai velocemente le tappe: "Prima tappa Gesù condannato, seconda si carica la croce, terza prima caduta, quarta incontra la madre, quinta incontro con il Cireneo, sesta..." e all'improvviso capii l'atto blasfemo che avevo appena compiuto. Alla sesta tappa, secondo alcune versioni della Via Crucis, Gesù incontra santa Veronica, in questo caso interpretata magistralmente da Lei, che porge a Gesù un panno di lino perché si asciughi il viso coperto di sangue e sudore. Miracolosamente l'impronta del viso del Cristo rimane impressa sul panno, un po' come la sacra sindone, passando alla storia come "il velo di santa Veronica". Io alla storia avevo lasciato il mio muco. Lei era scandalizzata. Provai a difendermi facendole notare che in fondo non era mai stato dimostrato che quel fatto fosse realmente successo: "Non c'è mai stata la pistola fumante". Ma credo che peggiorai le cose. Si congedò: "Ne parliamo dopo". Le altre pie donne, sempre rimanendo nella parte, le chiesero di aprire il panno per mostrare stupore. Ed effettivamente stupore fu.

Da lì in poi intorno a me gli sguardi si fecero ostili. Cercavo disperatamente Tommaso, invano, e cominciai a perdere lucidità. Non riuscivo a seguire la voce del prete: "Settima tappa, Gesù cade la seconda volta" e io tirai dritto. Solo grazie a un centurione, che mi fece un fallo da dietro degno di espulsione, caddi per terra. Il prete ormai dubitava della mia capacità di interpretare il ruolo principale. Ottava tappa: Gesù ammonisce le donne di Gerusalemme. Ero totalmente impreparato sul perché Gesù contestasse le donne di Gerusalemme: improvvisai. Mi fermai davanti ad alcune donne che stazionavano sul cammino indossando vestiti d'epoca, e le ripresi con un generico: "Non lo fate più, eh, non lo fate più. Perché io vi vedo!". Le donne contrite ascoltavano, senza mettere in dubbio la mia parola. Tappa numero nove: Gesù cade la terza volta e caddi, puntuale, senza bisogno di falli. Decima tappa: a Gesù vengono levate le vesti. Qui tutta la ricotta mangiata lungo l'anno si manifestò attraverso una pancetta tonda che spiccava dal corpo magro. Trattenni il fiato per provare a nasconderla, soprattutto a Lei. Undicesima tappa: Gesù viene crocifisso.

Per quanto mi riguarda questa tappa fu anche l'ultima, perché non riuscii ad arrivare fino alla quattordicesima per colpa di una frase detta al momento sbagliato. Una volta sistematomi sulla pedana della croce, mentre allungavo le braccia per essere crocifisso, vidi Tommaso arrivare, trafelato: "Eccomi, eccomi!", e io incautamente risposi: "Tommaso, Tommaso, perché mi hai abbandonato?". A quelle parole fui preso di peso su ordine dell'officiante e portato via. Ed ecco che al posto mio salì un soddisfatto notaio Castrogiovanni, vestito alla meno peggio da Gesù, che si prese la sua rivalsa. E, cattivo come solo i buoni sanno essere, disse: "Padre, perdonalo perché non sa quello che fa!".

Intanto io ero stato malamente accompagnato in uno stanzino, invitato a cambiarmi e ad allontanarmi. Mentre mi accingevo a indossare i miei abiti borghesi, bussarono alla porta.

7.

Dopo tutto questo, mi toccava pure affrontare Tommaso! Questa volta non me la sarei cavata con un: "Dài, tanto siamo qui per divertirci". Non potevo certo buttar lì un: "Mica siamo dei Gesù professionisti!". Sapendo quanto ci teneva – non ho mai capito se per fede o per rapporti di società –, non sarei riuscito a sdrammatizzare. Ero pronto a essere crocifisso una seconda volta, ma prima avrei fatto scudo puntando tutto sul suo ritardo. Avrei difeso la mia posizione da Gesù, con la sincerità di Giuda.

Aprii la porta come se dovessi aprirla a un plotone di esecuzione. Era Lei! Con il suo bel visino preoccupato, mi chiese: "Ma che casino hai combinato?" si guardò alle spalle e chiuse dietro di sé la porta. "Non ce n'è uno che non sia incazzato!".

Non sapevo cosa rispondere e mi uscì soltanto un: "Sono mortificato, non volevo creare problemi. Pensavo che la Via Crucis fosse più semplice da fare... invece è veramente dura!".

Lei mi guardò perplessa, forse perché avevo pronunciato quella frase con ancora indosso la veste bianca e la corona di spine.

Cercai di guadagnare tempo: "Lascia che mi cambi... vediamoci al locale davanti alla tua pasticceria tra mezz'ora".

Annuì, ma la sua espressione era tra il severo e il preoccupato: "Ok, ma passa da dietro. Se ti incontrano, ti alzano le mani". Poi se ne andò, più preoccupata che severa.

Riuscii a raggiungere l'auto senza farmi notare e, durante il tragitto, pensai che era da un bel po' che una ragazza non mi attraeva tanto. Che non affrontavo imprese così difficili, come una Via Crucis, per amore. L'ultima era stata Lisa. Lisa e le parole che mi aveva detto pochi giorni prima. Sì, forse era davvero arrivato il momento di smettere di rompere le palle al prossimo. Mi dissi: "Arturo, questa volta se andiamo da Lei non si torna più indietro!".

Ancora non la conoscevo, ma l'istinto mi diceva che non stavo sbagliando.

Parcheggiai l'auto e, con un po' di emozione, mi avviai verso l'appuntamento. La vidi che mi aspettava, in fondo al locale. Era proprio la donna più bella del mondo. Non si era ancora accorta della mia presenza. Quando alzò il viso, io ero già seduto davanti a lei e mi ero tolto la giacca. Non le diedi il tempo di parlare: confessai tutto. "Neanche abbiamo cominciato a conoscerci, tu e io, e già ti devo chiedere scusa due volte. Parto dal mio secondo scusa. Mi sono proposto come sostituto al Gesù ufficiale per farmi notare da te, per recuperare i punti persi. Capisco che sia un po' infantile. Non era la Via Crucis che avevo in mente di fare, pensavo a un'altra tipologia di messa in scena, ma in un certo senso ha funzionato, mi sono fatto notare. E ora siamo qui a parlare, tu e io!".

Dal suo sorriso leggero capii che il mio tentativo aveva fatto colpo. Però non cedeva di un millimetro: "Vogliamo passare al primo scusa che mi devi?".

"Ehm, sì... C'è stato un avvenimento scatenante... quella sera... Ma se permetti andrei subito al vero motivo". Puntavo a sorvolare sulla storia dello sciacquone. "La verità è che ho avuto la percezione che tu fossi la donna della mia vita. E ho avuto paura. Tutto qui".

Lei rimase a fissarmi ma io, appena sganciata la bomba, approfittai della vicinanza del cameriere: "Per me una cioccolata calda, grazie. Tu cosa prendi? Scusa, ma io non so il tuo nome".

"Flora. Tu come ti chiami?".

"Arturo. Flora, cosa prendi?".

"Un'aranciata".

Seguii con lo sguardo il percorso inverso del cameriere, per avere la scusa di non guardarla negli occhi. Poi quello entrò in cucina e io fui costretto a voltarmi e incrociare i suoi occhi pensierosi. Parlammo un po' di noi. Io del mio anonimo lavoro e lei della sua nuova pasticceria che con molta fatica e tanta soddisfazione stava avviando. Io amavo tutto quello che mi diceva. E alla fine ci scambiammo i numeri di telefono. Con le mani avvicinò il mio viso al suo e mi baciò velocemente. Purtroppo doveva tornare alla Via Crucis, mentre a me toccava affrontare Tommaso.

Provai più volte a chiamarlo, ma non rispose; solo molto più tardi ricevetti un suo sms, anche abbastanza fraterno: "Magari, per un periodo, non farti vedere al club. Neanche nel parcheggio. È meglio".

Ma in quel momento ero distaccato dalle cose terrene e vagavo per la città con un grosso sorriso stampato in faccia. Anche al netto della pasticceria, Lei sembrava una persona meravigliosa. Una che sapeva il fatto suo, con le idee molto chiare.

Il giorno dopo decisi di comunicarlo agli amici. Raggiunsi Francesco ed Emanuele all'associazione Giullari di Cristo, una onlus cattolica composta da volontari che, vestiti da clown, portavano buon umore in ospedale. Francesco, non riuscendo ad avere figli, aveva deciso di passare le domeniche mattina a fare spettacoli per i piccoli malati. Con il tempo aveva convinto anche Emanuele. Comunicai con orgoglio la notizia e ne furono felicissimi. Anche se ora non so quanto questa mia sensazione fosse influenzata dai grossi nasi rossi e i vestiti da pagliaccio che indossavano. Credo però che, nonostante gli stessi parlando di una donna che avevo visto solo quattro volte in vita mia – se si conta il passaggio di fazzoletto durante la Via Crucis –, erano comunque speranzosi per l'entusiasmo che raramente manifestavo in questo campo.

Con Roberto fu più difficile. Glielo dissi sul terrazzo dell'Indomabile, in attesa che uscisse il vecchio nudo del terrazzo. Se gli avessi annunciato che avevo una grave malattia, si sarebbe preoccupato meno.

"Arturo, cosa stai cercando di dirmi?".

"Niente, Roberto, solo che ho conosciuto questa ragazza e che mi attira molto. Mi fa star bene, insomma, le solite cose".

Lui: "Come le solite cose? Ma non sarai mica innamorato?".

Io, un po' vergognandomi: "Mah... sono molto preso. Sono particolarmente coinvolto. Non faccio altro che pensare a lei. Sì, credo di essermi innamorato".

Tenendomi per le braccia, in modo che non potessi fuggire dalle mie responsabilità, mi guardò fisso: "Arturo, guardami negli occhi. Tu vuoi diventare proprietario della sua pasticceria".

Io, un po' offeso: "Roberto, che stai dicendo?".

Lui: "Ok, mi spiego meglio. Stai esaudendo quel tuo assurdo desiderio di vivere circondato da dolci alla ricotta?".

Ci sedemmo.

"No, Roberto. Lo confesso, questa cosa mi fa piacere. Sai la fatica che ho sempre avuto nel trovare un compagno di dolci, ma è proprio che mi piace Lei come tipo".

Roberto mi zittì: "Ti sto per spiegare una cosa che dovresti già sapere. Comunque vada, sarà un insuccesso. Prima possibilità: vivrai con lei per qualche anno, magari vi sposerete, magari farete dei figli e poi divorzierete. Lei riuscirà, nonostante il tuo stipendio, a farti pagare le spese di mantenimento per i figli e tu a pranzo andrai a mangiare al ristorante Caritas. Seconda possibilità: starete insieme per tutta la vita!". E fece un sorriso luccicante.

"Allora lo vedi che anche tu, in fondo, hai una parte romantica nel tuo cuore?".

Mera illusione: "Ma che due coglioni, Arturo! Dopo trent'anni insieme con la stessa persona ti vorresti sparare e lei pure. È contronatura. Si finisce con fare battutine sulle colleghe bone, che comanda lei a casa, che non sei più padrone della tua vita come quando eri giovane, vi tradirete. Anzi, lei ti tradirà, perché tu sei così minchione che non ne sarai capace. Ti consolerà solo la ricotta, fino a mangiarne così tante che morirai perché si sostituirà al tuo sangue. Che forse è quello che desideri". Si alzò e, con gli occhi puntati in lontananza, aggiunse quasi arrivando a commuoversi. "Perché ricordati, Arturo..." si girò verso di me con una solennità che ormai neanche nel teatro di Shakespeare si pratica più, "per i pentimenti dell'anima c'è sempre tempo, per quelli del corpo... no!".

Insomma, non l'aveva presa bene.

A questo punto non mi rimaneva che incontrare Tommaso. Lo andai a trovare l'indomani mattina. Non senza un po' di ansia, bussai alla porta del suo ufficio. In fondo, oltre a essere un amico era il mio superiore.

"È permesso? Se ti disturbo, passo più tardi!". Non ero ancora entrato che già tentavo la fuga.

"Prego, prego!". Posò il documento che aveva in mano e mi fece cenno di sedermi.

"Sono mortificato... non pensavo che andasse a finire così. Poi ammetto che quella frase, detta proprio in quel momento, era inopportuna...". Mi guardava con pietà.

"C'è una cosa positiva, in tutta questa storia, caro Arturo".

"E qual è, caro Tommaso?".

"Che non associano la tua figura alla mia persona. Ti identificano come l'amico di calcetto dell'avvocato. Non si ricordano che alla cena eri mio ospite. E questo è un bene".

Convenivo: "È molto buono".

"Ovviamente noi è meglio che non ci facciamo vedere insieme per un po'".

"Certo. Comunque è stata un'esperienza molto bella e profonda, quella di interpretare il figlio di Dio, perché...". Mi interruppe: "Avete già consumato?" e io, senza battere ciglio: "No, ancora no, ci speravo... ma non è successo!" lo volli rassicurare. "Però mi piace veramente. Forse ho rischiato di farti espellere dal club, ma per un giustissimo e nobile motivo. Credo di amarla".

Non mi sembrava molto convinto: "Lo hai già detto agli altri?".

"Certo. Erano tutti molto contenti".

"Speriamo che sia la donna giusta. Non sei più un ragazzino. Adesso scusami, ma ho una serie di rotture di palle da risolvere".

Mentre mi avviavo verso la porta pensai quanto era bello avere un amico come Tommaso. Lui era sempre stato quello più paterno e maturo: quando lo facevo arrabbiare finiva per perdonarmi con uno sguardo benevolo.

8.

Dopo sei mesi passati con Lei, i miei amici continuavano a stupirsi che fossimo ancora insieme. E il primo a stupirsene ero io. Mi rinfacciarono le mie teorie sul disastro della coppia, sui tradimenti e tutto quello su cui avevo pontificato con insolenza fino a qualche tempo prima. Io, in realtà, continuavo a crederci, ma non pensavo troppo al futuro.

Roberto, disperato, cercava di rimediare ai danni secondo lui in corso, invitandomi a riflettere: "Quanto sarà stronza da ex moglie da uno a dieci? Almeno usa questi parametri, se proprio pensi di continuare a starci!".

Quando poi comunicai che avrei saltato un giorno di allenamento a settimana, l'accusa degli amici divenne: "Ti sei zerbinato!".

Io mi difendevo come potevo, ma in fondo sapevo che era così, e mi piaceva. Perché, oltre a essere attratto fisicamente da Lei, la stimavo molto. Una teoria, un po' cinica, vuole che ci sia una parte dominante tra due amanti, e che quindi in qualche modo uno sovrasti l'altro. In alcune coppie è evidente, in tutte le altre è ugualmente vero, solo che la parte dominante passa alternativamente da un partner all'altro, a seconda della situazione.

Comunque, nel mio caso senza dubbio ero io la parte che soccombeva. E di questo ero consapevolmente felice.

Mi stavo facendo trasportare dall'amore per una ragazza che poteva vivere tranquillamente grazie alle avviate pasticcerie di suo padre e invece aveva deciso di fare la scelta più difficile: aprirsi una pasticceria propria. Questo gesto, che io al posto suo mi sarei ben guardato dal compiere, mi aveva conquistato. E mi capitava spesso di starmene seduto a un tavolino del suo bar, con uno sciù in mano, a osservarla dirigere i dipendenti e sorridere ai clienti, nonostante la stanchezza. Sì, farmi dominare da lei mi piaceva. Mi piaceva così tanto che non guardavo neanche le altre donne. Semplicemente non mi interessavano. Di solito questo stato si prolungava per un mese dopo aver conosciuto una ragazza, ma che durasse oltre i sei mesi non mi era mai ancora successo. La preoccupazione di avere al fianco una donna che non fosse complice della mia passione per i dolci era svanito: era come se un appassionato di formiche si fosse fidanzato con una appassionata di formiche. Due mirmecologi – per fare questo esempio ho scoperto che si chiamano così – visti da fuori sono strani e alla lunga immagino noiosi. Ma tra di loro ci sarà sempre una incredibile intesa. Quindi anche noi saremmo potuti sembrare una coppia un po' noiosa, se vista da fuori, vagamente ossessiva, ma immensamente felice.

Ammetto tuttavia che un piccolo tradimento da parte mia ci fu. La sera ogni tanto, prima di cenare con Lei, dopo l'ultimo appuntamento con i clienti tornavo a fare il giro delle pasticcerie come una volta. Lo facevo di nascosto, perché temevo che ci rimanesse male. Insomma, la cosa stava davvero diventando seria e però non mi spaventava per niente, e anche questo era insolito.

Diventava così seria che eravamo arrivati al tanto temuto momento della presentazione ai parenti. L'incontro con i miei avvenne nel migliore dei modi, quando io non c'ero. Saputo che uscivo con la proprietaria di una pasticceria, cambiarono abitudine e la domenica cominciarono a comprare i dolci da Lei. Alla fine, presa un po' di confidenza, si dichiararono.

Un po' più problematico fu il mio incontro con i suoi genitori o per lo meno con il padre. La madre la conobbi incrociandola per caso. La fortuna volle che per la prima volta in vita mia tenni aperta la porta del bar a una signora che stava uscendo, e quella signora era sua madre. Anche il padre lo incontrai in pasticceria. Stavo contemplando il dolce che il cuoco aveva appena sfornato, le minne di vergine. La leggenda vuole che nel Settecento una suora, tale suor Virginia Casale di Rocca Menna, a Sambuca in provincia di Agrigento, per il matrimonio di un marchese decidesse di preparare un dolce nuovo. E, osservando le forme del panorama che aveva davanti, creasse appunto le minne delle vergini. In siciliano: le tette delle vergini. Ed effettivamente sono dolci che hanno la forma di una tetta con il capezzolo. Nonostante questo, però, a me non sono mai piaciute. Dentro c'è il biancomangiare, che è molto più leggero rispetto alla ricotta. L'ingrediente base è il latte vaccino. Per il mio stomaco tutta questa leggerezza è abbastanza irritante, potrebbe far male... Comunque, tornando al papà di Lei, stavo appunto contemplando le minne di vergine, quando vidi Carlo, il cameriere, cambiare atteggiamento all'improvviso. Si mise a riordinare la vetrina meticolosamente, in maniera così innaturale da attirare la mia attenzione. Mi voltai per capire il motivo di tanto scrupolo e mi accorsi che quel motivo era proprio il padre di Lei.

A pochi metri dall'altra parte del bancone, mi stava fissando con un'espressione che andava dal disgusto al disprezzo. Tornai a concentrarmi sui dolci facendo finta di non averlo notato, ma la sera stessa, a cena, con delicatezza chiesi lumi a Lei.

"Oggi credo di aver incrociato tuo padre. Può essere che verso sera fosse in pasticceria?".

"Sì, è passato a salutarmi. Così dice lui, in realtà controlla che tutto venga fatto secondo i suoi standard" mi rispose Lei mentre mangiava.

"Può essere che tra le cose che devono rientrare nei suoi standard ci sia anche io?".

"Sì, certo, ma è normale. Lo ha fatto ogni volta che io o le mie sorelle ci siamo fidanzate" disse con la medesima calma inquietante di prima.

"Ah, bene!". E mi versai un bicchiere d'acqua, per simulare di non dar troppo peso alla cosa.

"E cosa devo fare per piacergli... o cosa non devo fare?".

Mi rispose di nuovo con molta tranquillità: "Guarda che non è una cosa personale, la sua paura è che qualcuno usi noi per mettere le mani sulle pasticcerie di famiglia. Lo fece anche con l'attuale marito di mia sorella, quando cominciarono a frequentarsi".

"Ah... e che fine ha fatto il marito di tua sorella?".

"Lavora nella contabilità dell'azienda, riporta direttamente a mio padre".

"Cioè, continua a controllarlo!".

"Esattamente". Si alzò da tavola per prendere una mela dal cesto della frutta in cucina, quindi tornò a sedersi. Il tutto sempre con molta tranquillità.

"Non pensi che mi debba preoccupare del suo giudizio, che debba fare qualcosa per piacergli?".

Finalmente feci breccia: "Ma no, non allarmarti. Il suo giudizio non influenzerà il mio su di te. Devi pensare a piacere a me, non a lui! Poi affronteremo un eventuale giudizio negativo. Che conoscendo te, e conoscendo mio padre, non è poi così improbabile che arrivi". E riprese a sgranocchiare la mela.

Ancora una volta il suo carattere forte e sicuro aveva il sopravvento sul mio, che per istinto primitivo schivava le responsabilità. Forse avrei dovuto aggiungere una nuova categoria di coppia, dove uno dei due si lascia felicemente trasportare dall'altro. Era anche questo un modo per far andare avanti una relazione.

Il giorno dopo la vita mi fece un enorme sorriso.

La prima bella notizia arrivò in ufficio. La Regione aveva deciso di spostare in un altro quartiere l'assessorato che si trovava davanti all'Indomabile. Ciò significava meno traffico e parcheggio più facile. Roberto ipotizzava persino che la compagnia telefonica, che aveva installato l'antenna sopra l'Indomabile, l'avrebbe rimossa presto. Secondo lui era stata installata solo perché qualche potente della Regione prendesse meglio il segnale. Io ero perplesso, ma non del tutto: quando si ha a che fare con la Regione non esistono cose impossibili.

La sera andai a disputare la finale del campionato di calcetto. Senza grossa fatica vincemmo gli ultimi due incontri. Il primo perché nella squadra avversaria c'erano ben due presunti attaccanti con la "sindrome del karaoke". In questi casi la vittoria è quasi automatica, perché scatta anche la competizione per chi si sente di più Maradona. La seconda partita perché i componenti della squadra erano tutti dipendenti dell'agenzia, nella scala gerarchica sotto Tommaso. E nessuno ebbe il coraggio di segnare contro il capo.

La squadra finalista era ostica, soprattutto per l'attaccante Daniele Gallucci, un geometra, guarda caso, della Regione, che sfogava tutte le sue frustrazioni lavorative nello sport. Era il capocannoniere del campionato e un incubo per tutti i portieri. Non c'era nessuno di noi che, almeno una volta, non avesse sognato con i sudori freddi il geometra Gallucci. Ma mentre ci riscaldavamo prese a circolare negli spogliatoi la voce che il geometra non potesse giocare per uno strappo muscolare. Strappo che si era procurato, pareva, mentre si occupava proprio del trasloco dell'assessorato davanti all'Indomabile. Noi cominciammo a sperare che la notizia venisse confermata.

A pochi minuti dall'inizio della partita, la definitiva conferma: Gallucci era fuori. Avevamo una speranza! Io e la mia difesa riuscimmo a respingere molte azioni pericolose, il resto lo fece ancora una volta la sindrome da karaoke degli avversari. Noi riuscimmo ad avvicinarci alla loro area solo tre volte, e in una di queste fece gol Tommaso: di testa, con la complicità della traversa che fece schizzare il pallone prima sulla spalla del portiere e poi in rete. Non bellissimo da vedere, ma l'importante è che entri.

Dopo la partita festeggiammo con una pizzata, quindi, salutati tutti, passai da Lei alla pasticceria ormai in chiusura. Pieno di orgoglio, entrai con i pugni alzati e le comunicai subito la gloriosa vittoria. Lei ebbe la stessa reazione che hanno le mamme quando vengono chiamate dai figli piccoli che sono riusciti a fare quello che per loro è un'impresa, tipo: superare con un balzo una corda, che in realtà è per terra. Reazione che si riduce a un misero: "Bravo + (nome del figlio)!", detto ciò la madre torna a fare quello che stava facendo prima. Io, dopo il mio "bravo Arturo!", me ne andai al bancone dei piaceri senza colpe – vale a dire il bancone che a fine giornata si riempiva di tutti quei dolci ormai invendibili perché non più freschi, come lo standard della pasticceria imponeva, ma non così tanto da non poter essere mangiati. Potevo quindi prenderli senza alcun senso di colpa, non stavo levando risorse economiche all'azienda. Per festeggiare quel giorno tanto fortunato mi feci dieci sciù, come se il mio corpo non funzionasse attraverso il sistema sanguigno e non dovesse quindi badare a tutte quelle noiose complicazioni che lo zucchero può portare. Mentre mi rimpinzavo, mi accorsi che Carlo si era messo a pulire con un impegno insolito. Mi voltai verso la porta del laboratorio, con la bocca sporca di ricotta e zucchero a velo, e riecco il papà di Lei.

Probabilmente era soltanto un effetto placebo, ma sentii aumentare in tempo reale il colesterolo.

Poi, successe una cosa inaspettata.

Sul volto di lui intravidi un leggero sorriso. Fu un attimo, poi scomparve nel laboratorio.

Era stato un evento così clamoroso che perfino Lei, sempre così indaffarata sul lavoro, se ne accorse.

Mi avvicinai e le sussurrai all'orecchio: "Hai visto?".

"Sì, certo".

"E come fu?".

"Davanti a una persona così appassionata ai dolci si commuove".

Avevo trovato la strada per conquistare il papà di Lei! Ormai non c'era più nulla che potesse ostacolare la nostra storia d'amore. E così ci ponemmo la domanda...

9.

Andiamo a vivere insieme?

Ce lo chiedemmo quasi contemporaneamente, Lei e io. E la risposta reciproca fu: “Perché no?”.

La mia seconda domanda fu: “E tuo padre come la prenderà?”. Lei replicò con una smorfia di insofferenza, come a dire: “Non pensare a quello!”.

Nonostante mi fosse chiaro perché mi fossi innamorato di lei e non mi fosse per niente chiaro perché lei si fosse innamorata di me, avevo deciso di provarci.

Per evitare troppe discussioni, mi trattenni dal dirlo subito agli amici. Il rischio è che avrebbero cominciato a tempestarmi di domande, non tanto da farmi cambiare idea, ma ma magari da creare dubbi sì. Invece queste cose bisogna farle con una sana incoscienza. Roberto, poi, sarebbe morto sul colpo. Dovevo arrivarci piano piano.

Visto che Lei abitava in una casa di proprietà, stabilimmo che mi sarei trasferito a casa sua e io avrei pagato le bollette. Precauzionalmente, decisi che avrei lasciato il mio appartamento soltanto qualche mese dopo il trasloco. Giusto per sicurezza. Ormai era da tempo che la maggior parte delle notti le passavo da Lei, ma sapere di avere una via d’uscita ci rassicurava entrambi.

Non ci furono mai litigi, mai piccole incomprensioni domestiche – piatti sporchi nel lavandino, mutande usate sul tavolo o cose del genere –, perché c'era una signora delle pulizie che si occupava della casa. Sarebbe bastata una sua innocua influenza per far venire a galla il nostro livello di intolleranza. Fummo fortunati, lei godeva di ottima salute. Di tanto in tanto, mi chiedevo dove potesse sorgere l'inghippo, ma nulla. Lei sembrava diversa da tutte le altre.

Sicuramente il fatto di trascorrere tante ore in pasticceria contribuiva a renderla meno combattiva nelle dinamiche familiari. Era troppo stanca per affrontarle. La maggior parte delle volte le mie ex, dopo il bacio della buonanotte e dopo essermi tirato su la coperta e avere già chiuso gli occhi, scoccata ormai la mezzanotte, cominciavano con domande scivolosissime sulla nostra vita sentimentale. Le rispose erano difficili da elaborare di giorno, figurarsi nelle ore in cui la pressione arteriosa rallenta, come il battito cardiaco, perché non c'è più quell'urgenza di portare così tanto sangue al cervello, se non giusto per creare quel minimo di attività cerebrale che ci permette, tra l'altro, di rimanere in vita.

Lei, quelle domande fuori tempo, non le faceva. E di conseguenza non si presentavano neanche le recriminazioni a seguire. Insomma, la totale mancanza di polemiche e rivendicazioni mi creava ansia. Non potevo neanche dire che fosse gelosa, perché non lo era. Dove stava la fregatura?

Non dovetti neppure adottare il metodo che spesso mi aveva salvato durante i litigi con le altre ragazze, vale a dire stare immobile il più possibile in attesa che passi la tempesta. Guardare un punto fisso per terra, mentre lei si sta sfogando, fingendo riflessione.

"Ci sarà da qualche parte, la fregatura, stanne certo. Solo che ancora non la vediamo" sentenziò Roberto. "Prova a passare davanti alla pasticceria in un orario insolito con una ragazza, ma di quelle veramente sticchiose. Ti fai vedere, ma senza fermarti. E poi la sera non le dici niente. Qualcosa dirà! Io se vuoi ho un'amica che si può prestare al gioco: Tati. Con cinquanta euro te lo fa, l'importante è che entro le venti sia a casa per il controllo della polizia".

"Va bene così. Ti ringrazio, Roberto, ma troverò un altro modo".

"Sicuro? Guarda che non mi costa niente, faccio una telefonata e...".

"A posto così, grazie".

Si fece pensieroso. Stava arrivando a qualche conclusione... eccola: "Sta usando il metodo che si usa per acchiappare le blatte".

"Hai usato un paragone molto romantico, ti ringrazio di nuovo".

"È pratico ed economico. Prendi una bottiglia di vetro, metti qualcosa di dolce in fondo e cospargi di olio le pareti. La blatta entrerà attirata dal dolce, ma poi non potrà uscire perché scivolerà per colpa dell'olio! Tu, al momento, sei attirato dai suoi dolci, nel vero senso della parola tra l'altro, ma poi non potrai più uscire per l'olio sulle pareti".

"Ma scusa, lei cosa ci guadagna a incastrare un semplice agente immobiliare?".

Sempre pensieroso, sentenziò: "L'amore ha dei meccanismi profondamente ignoti, misteriosi e apparentemente insensati".

A casa, esaminai una settimana tipo della nostra vita, si fa per dire, coniugale, che dipendeva dagli orari della pasticceria: aperta da martedì alla domenica. Lunedì riposo. Perché quando ti fidanzi con un commerciante, ti sposi anche la sua attività. Se a pranzo avevo il tempo, la raggiungevo in pasticceria, di sicuro ci vedevamo la sera a cena, sempre in pasticceria. L'unico giorno in cui si poteva fare un vero e lungo litigio era appunto il lunedì. Ma se superavo quel giorno, per litigare bisognava aspettare una settimana. E, come ho detto, di motivi per accapigliarci non ce n'erano.

Scandagliai allora la nostra vita sessuale. Io di certo non mi potevo lamentare, perché Lei era bellissima. Mentre io ho sempre pensato di essere nella media dei maschi italiani: certo c'è di meglio, ma anche di molto peggio. E poi la sua stanchezza a fine serata giocava a mio favore, in fatto di prestazioni. Avevo anche messo dei punti fermi nei nostri rapporti sessuali. Uno sopra tutti: non si poteva scherzare. Prima sì, dopo sì, ma mai durante. Il sesso non deve essere ironico, non ho mai sopportato la risata mentre uno sta cercando di fare la persona seria a letto. L'impegno deve essere rispettato! Però prima sì, eccome. I preliminari seguivano un rituale ironico ben preciso. Io l'abbracciavo da dietro, lei faceva finta di essere sorpresa della presenza di uno sconosciuto e chiedeva: "Ma chi è lei?".

E io: "Bond, James Bond!".

E partivamo a fare l'amore. Fine dello scherzo. Era diventato un codice tra di noi: "Amore, questa sera 'Bond, James Bond'?".

"Certo, cara. Partita a calcetto e 'Bond, James Bond'!".

"Non ti stancare troppo, sennò al massimo potrai fare solo 'Bond...'". Insomma, il sesso andava a gonfie vele.

A conti fatti, finora sembrava un ottimo affare. Solo una richiesta mi sembrò piuttosto impegnativa, andare insieme alla Messa domenicale delle 17, nella chiesa davanti alla pasticceria. Era la Messa della giornata in corrispondenza del minor numero di clienti. L'orario era un po' antipatico perché mi spezzava il pomeriggio, ma come facevo a dirle di no?

Così passarono i primi tre mesi della nostra convivenza. La possibilità di stare insieme più tempo la sera o solo il lunedì non faceva che rendere speciali quei momenti. Speravamo che in futuro, con la pasticceria ormai avviata, Lei avrebbe avuto più giorni liberi, ma nell'attesa andava bene così.

Tanto che lasciai il mio appartamento, che ormai non abitavo più, e mi trasferii definitivamente da Lei.

Nella mia testa ero diventato Filippo di Edimburgo. Ed effettivamente in pasticceria anche per i dipendenti era così. Non fu lo stesso quando misi piede per la prima volta a casa dei suoi. Il padre invitò tutta la famiglia e gli amici per scambiarsi gli auguri di Natale; gli amici di suo padre, però, non erano certo come i miei, perché appartenevano tutti al salotto bene della città. E un povero agente immobiliare "semplice", a meno che non abbia una faccia tosta, e io non l'avevo, faticava a rimanere a galla. Da First gentleman passai a Cenerentolo. Con la differenza che non dovevo aspettare mezzanotte per trasformarmi. Ero il caso umano che Lei aveva sposato, ma non in senso matrimoniale: in quanto Lei affetta da sindrome della crocerossina.

Tutto si svolgeva in un contesto da *Gattopardo*. Il fatto che la festa di Natale venisse chiamata ricevimento, già mi doveva insospettire. Avevo pensato a una cosa più intima, non a un evento tipo *soirée* con l'ambasciatore. Capii cosa doveva provare Candy Candy insieme ai cugini cattivi. Più mi aggiravo tra gli invitati e più mi chiedevo perché Lei si fosse innamorata di me. Forse questa storia della crocerossina era vera. Quando i suoi cugini si avvicinavano a me, partivano gli aneddoti sui precedenti fidanzati, raccontati come se io non fossi lì accanto a loro: "Una volta si è messa con un tizio che per campare puliva i vetri dei grattacieli!". Mi sentivo un animale esotico in mostra all'Esposizione universale di Parigi del 1889, "... dove i visitatori potranno ammirare la nuova costruzione, tanto criticata, che prende il nome dal suo ideatore, l'ingegnere Eiffel, e uno strano animale, ospite del padiglione del Regno del Congo, che incuriosisce grandi e piccini", cioè il sottoscritto. Non mi potevo neanche sfogare con Lei, perché era impegnata a ricevere gli ospiti. E poi starle troppo vicino avrebbe solo alimentato la curiosità, l'unica via di uscita era mimetizzarsi. Con la sola accortezza di abbuffarsi di dolci quando incrociavo il padre, per farlo felice. E comunque anche in questa situazione nessuno ebbe il coraggio di presentarmi ufficialmente a lui.

A fine serata ero stremato. Avevo capito a cosa stavo andando incontro, ma confidavo molto in Lei e nella sua indipendenza. C'era una evidente disparità tra la mia persona e il mondo da cui proveniva. Per un attimo mi attraversò il pensiero del nostro futuro figlio. A quindici anni si farà la capigliatura con i capelli lisci e la frangia? E vorrà la macchinetta da bimbominchia da 50 di cilindrata? Invece di utilizzare il passaggio per la spiaggia libera in estate, sarà socio di un club privato?

Nel frattempo a scandire il nostro rapporto c'erano le uniche due tappe certe nella nostra vita di coppia, il sacro e il profano: la Messa della domenica pomeriggio e "Bond, James Bond". E tutto avrei pensato, tranne che fosse proprio quella la culla della nostra crisi. E non sto parlando di "Bond, James Bond!".

10.

Avete presente la teoria del battito di ali di una farfalla che provoca un uragano dall'altra parte del mondo? Nelle dinamiche di coppia è proprio così, soprattutto per quanto riguarda l'uragano. Un fatto imprevedibile, insospettabile e incredibile arriva senza alcun preavviso e ti stravolge la serata. Se ti va bene, solo quella. La mattina sei in ufficio e hai appena finito di raccontare ai tuoi colleghi quanto tutto stia andando a meraviglia con la tua fidanzata. Poi la sera a cena, mentre sei con la tua donna, dici una frase del tipo: "Manca il pane". La farfalla ha appena battuto le ali. La tua frase, infatti, ha dato il la a una serie di considerazioni, critiche e rivendicazioni che aspettavano solo il momento buono per esplodere. Le accuse generalmente finiscono sempre nell'ambito "mancata partecipazione alla vita di coppia". Accusa che hai sempre sentito fare dalle fidanzate dei tuoi amici e ti chiedi come è possibile che adesso ti ci ritrovi anche tu. E poi qual è il nesso tra la scarsità del pane e l'accusa di essere mentalmente assente con la propria compagna? La storia della farfalla e l'uragano.

Nel mio caso l'uragano è arrivato come conseguenza di una risposta, o meglio di più risposte mancanti. Mi spiego.

Dopo diverse domeniche pomeriggio a frequentare la stessa chiesa, facemmo amicizia con un prete, don Antonio.

Un quarantenne pieno di iniziativa che riusciva con il suo carisma a coinvolgerti nelle più svariate attività. Fra le tante, c'era quella di celebrare Messa in un ospedale della città il sabato pomeriggio. Per Lei era un problema con il lavoro, ma tanto era l'entusiasmo del don che si organizzò per lasciare la pasticceria qualche ora. Io non avevo granché da fare, ma ritenevo ugualmente insensato passare il sabato pomeriggio in un ospedale, senza avere un problema di salute peraltro. Andarci per assistere a una Messa, poi, era contro ogni logica. Ma a condurmici, più che il carisma del prete, fu ovviamente il mio amore per Flora. Ancora una volta: come potevo dirle no? All'inizio pensai di inventarmi un lutto, come a scuola. Ma poteva funzionare per uno, massimo due sabati... e poi la scusa del lutto era troppo pericolosa, magari per amicizia il don avrebbe insistito per celebrare lui il funerale. Non mi rimaneva che cedere, anche se sospettavo che pure lei non avesse molta voglia di passare il sabato pomeriggio così, e che lo facesse più per un obbligo morale borghese. Ma ormai nessuno dei due poteva tirarsi indietro.

Il nostro compito più impegnativo consisteva nella raccolta dei fedeli. La faccenda era complessa perché ci trovavamo in un ospedale ortopedico e spesso i pazienti avevano difficoltà a recarsi nella cappella. Ed ecco che allora intervenivo io: con una campanella andavo in giro per le corsie a scampanellare e a ricordare che in breve si sarebbe celebrata la funzione. Passati tutti i reparti, spingevo i malati utilizzando le malconce sedie a rotelle della struttura ospedaliera. Uno dei pazienti storici era Andrea. Un ragazzo con tanti di quei problemi che si faceva prima a dire quali non aveva. All'anagrafe trentenne, ma nella pratica non aveva più di dieci anni. E i problemi di deambulazione peggioravano la situazione. Non so per quale misterioso burocratico inghippo, da diversi anni l'ospedale era diventato la sua casa e nessuno si chiedeva più come fosse stato possibile. Ormai era considerato uno del personale. Lo portavo alla cappella ogni volta che mi accorgevo che la mia raccolta di fedeli non era andata bene. Tecnicamente Andrea non aveva mai manifestato il desiderio reale di assistere alla Santa Messa, ma nessuno poteva dimostrare il contrario.

Così, quando andava male, oltre al prete, c'eravamo io, Lei e Andrea. E il botta e risposta tra prete e fedeli funzionava. La voce di Andrea riempiva lo spazio della cappella coprendo le nostre, perché anziché rispondere emetteva dei suoni molto rumorosi. E faceva tanto comunità!

Ma un giorno la farfalla batté le ali e io, sul momento, non me ne accorsi. Fu il giorno in cui la mia pesca di fedeli andò peggio. Per problemi fisici, chi voleva venire nella cappella non poteva. E chi poteva non voleva. Ma io avevo sempre il jolly da giocare: Andrea e la sua profonda fede. Tuttavia quando la farfalla batte le ali, travolge tutto e tutti: "Andrea ha la febbre!" mi informò la capoinfermiera.

"Pure" pensai. Speravo che qualche malanno, almeno fra quelli più leggeri, Dio o chi per lui glielo avrebbe risparmiato. Per la prima volta tornai dalla raccolta da solo. Nessuno più sfortunato di noi, come li chiamava Lei, era disposto ad ascoltare la parola del Signore. Ma don Antonio decise comunque di celebrare.

"Pregate, fratelli e sorelle, perché il sacrificio della Chiesa sia gradito a Dio Padre onnipotente".

Toccava a noi, che avremmo dovuto rispondere: "Il Signore riceva dalle tue mani questo sacrificio a lode e gloria del suo nome, per il bene nostro e di tutta la sua santa Chiesa". Io arrivai a "... questo sacrificio" e non andai oltre. O meglio, balbettai qualche parola strascicata.

Al Mistero della Fede avrei dovuto rispondere: "Annunziamo la tua morte, Signore, proclamiamo la tua resurrezione, nell'attesa della tua venuta", ma recitai con sicurezza solo "Annunciamo la tua morte, Signore...", poi il solito flusso di parole strascicate. Con la coda dell'occhio mi accorsi che Lei mi stava fissando con uno sguardo stupito. Ma uno stupito tendente al drammatico.

La terza volta il suo sguardo era solo drammatico. Cominciai a ripassare tutto quello che quel giorno, prima dell'arrivo della signora delle pulizie, avrei dovuto fare e non avevo fatto. Buttare l'immondizia, e non l'avevo fatto. Spegnere il riscaldamento di casa, e non l'avevo fatto. Pulire il lavandino del bagno dagli scarti di dentifricio, e non l'avevo fatto. La lista avrebbe potuto proseguire per almeno altri cinque "e non lo avevo fatto", e tuttavia il suo sguardo non si spiegava, troppo severo e troppo a effetto ritardato. Le chiesi quale fosse il problema. In questi casi è molto saggio chiedere spiegazioni limitandosi all'espressività del viso, senza pronunciare parole, perché un eventuale equivoco nella comunicazione potrebbe essere un escamotage per prendere tempo. Lei con un'altra espressione, impossibile da fraintendere, intimò: "Ne riparliamo dopo la Santa Messa".

L'"andate in pace" arrivò in fretta, il gregge era così poco nutrito. Si metteva male, perciò tentai di allontanare il più possibile il momento del congedo e mi offrii di dare una mano a don Antonio. Lo aiutai a raccogliere i dépliant che aveva, inutilmente, distribuito tra le panche. Lo aiutai a riordinare la sagrestia. Lo aiutai a spazzare la chiesa. Alla mia proposta di imbiancare alcune pareti per levare quelle odiose macchie di umidità, Lei si oppose. La mia strategia del fin qui tutto bene, mentre si attende l'arrivo della fine, era ormai lampante.

E purtroppo la fine arrivò. Appena entrati in auto.

"Ma tu non sai cosa rispondere al prete?".

Presi tempo: "In che senso, amore?".

Credo che la cosa la innervosì ulteriormente: "Hai strascicato frasi senza senso per quasi tutta la Messa. Giusto il Padre nostro lo hai detto fino alla fine!".

"Ma sai, dopo tanti anni finisci per ripetere in maniera automatica... ma questo non vuol dire che non senta quello che dico".

"Ma che vuol dire rispondere in maniera automatica! Stai parlando con il Signore! Ma... Arturo..." e fece la pausa di chi ha appena compreso qualcosa che non avrà conseguenze positive sulla propria vita: "Ma tu credi in Dio?". Pausa mia, che non avrà conseguenze positive sulla mia, di vita: "Se credo in Dio?". Altra pausa, che non fa che aggravare la situazione: "Come tutti!".

"Ma che vuol dire come tutti?" esplose Lei. "Stiamo parlando del rapporto fra te e il Signore, colui che ti ha creato, e mi rispondi 'come tutti'? La tua fede è unica, non può essere come la mia o quella di qualcun altro! Allora vuol dire che non credi. Io sto con uno che non crede, questo mi stai dicendo?".

Non c'era modo di uscirne, e allora provai ad allargare la cerchia dei colpevoli, sperando di annacquare le mie colpe davanti ai suoi occhi.

"Quando dico come tutti, intendo che ho avuto una educazione cattolica come la maggior parte delle persone in questo paese, ho praticato la religione cattolica come la maggior parte delle persone di questo paese, ho trasgredito e non rispetto tutte le norme della religione cattolica come la maggior parte delle persone di questo paese. Insomma, sono credente e praticante come mediamente lo sono tutti".

"Arturo, tu sei cattolico sì o no?".

"Mah, calcolando che molte cose che dovrei fare in quanto cattolico non le faccio, e non mi sento particolarmente in colpa, forse sono più 'quasi' cattolico". Fu disgustata da questa mia risposta. In verità pure io.

"Credi in Dio?" chiese ormai scoraggiata.

"Diciamo che ci spero".

"Perché allora vai in chiesa ogni domenica? Non certo

per far felice me!" che tradotto voleva dire: "Non sarai così minchione!".

Non potevo cedere su tutti i fronti: "Una flebile fiamma in fondo al mio cuore è ancora accesa".

Ero appena ufficialmente uscito dal club delle persone che non capiscono come mai, con il proprio compagna/o, non c'è alcun problema. Quella che speravo essere la discussione di una sera durò molto di più. Per tutto il mese successivo l'argomento rimase all'ordine del giorno, con una evidente flessione di "Bond, James Bond". Assistetti a un altalenarsi di suoi umori e reazioni. E dallo stupore passò alla rabbia per non essersene accorta prima.

11.

Dovevo trovare qualcuno con cui sfogarmi, ma non era facile. Gli amici del calcetto erano da escludere, non volevo sentirmi dire: "Benvenuto nel club" e passare le serate a raccontarci di quanto siamo vittime delle donne. Che poi sarebbe sfociato in: "La realtà è che a casa comandano loro" o cose simili, come sosteneva da sempre Roberto. Piuttosto cambiavo amici. Però era da scartare anche Roberto, che avrebbe trovato una conferma alla sua teoria sulla fregatura che prima o poi viene a galla, e non volevo dargli questa soddisfazione. Fu all'apice della disperazione che mi venne in mente di chiedere un parere a qualcuno che riusciva a sostenere una convivenza con la moglie da quarantacinque anni, senza grossi intoppi e discussioni: mio padre. Non ricordavo nessun litigio tra i miei. Al massimo avevo sempre assistito all'accendersi di qualche scintilla, ma mai a un vero e proprio incendio. L'incidente della Messa mi aveva reso più sensibile alle dinamiche di coppia, e quella tra i miei mi si palesò davanti al primo invito a cena.

Già nella fase dell'apparecchiamento della tavola, scoprii che la strategia dell'immobilismo, di cui andavo molto fiero e che pensavo di aver inventato, l'avevo in realtà ereditata da mio padre. Capii che tutto il suo matrimonio si era fondato su questa "abilità", che aveva perfezionato con il tempo.

Quella cena fu illuminante. Ogni lamentela di mia madre veniva ammorbidita da quella che, ormai, supponevo essere la *nostra* strategia. Lui non si accorse che lo stavo osservando con attenzione. Al secondo rimbrotto di mia madre parato da mio padre, lui mi lanciò uno sguardo di complicità e da lì partì un dialogo muto che durò fino alla frutta. Era incredibile: chissà quante volte era accaduto davanti ai miei occhi e non me ne ero mai accorto! Eppure, inconsapevolmente, dovevo avere assorbito tutto! Pensai anche che probabilmente, se fossi stato "figlia" anziché "figlio", il dialogo di sguardi si sarebbe svolto con mia madre. È quella inevitabile, oserei dire biologica, differenza tra sessi grazie alla quale migliaia di comici nel mondo riescono ancora, dopo tanti anni, a riempire il loro repertorio con battute sulla tavoletta alzata del wc. Alla fine presi coraggio e raccontai quello che mi era accaduto. Chiesi loro imparzialità nel giudicare, anche se così correvano il rischio di mettere in discussione l'educazione data a loro figlio.

Mia madre fu netta: "È troppo estremista. Può succedere che uno non si ricordi cosa dire in chiesa, dopo tante volte che la si frequenta. Non vuol dire non avere una fede forte". In realtà io non ero mai stato un grande frequentatore di chiese e la fede non aveva mai ricoperto un ruolo centrale nella mia vita. Era messa lì da una parte, indisturbata. Avevo semplicemente dimenticato di farmi domande, e avevo imborghesito la mia ricerca di Dio come la maggior parte degli italiani. E poi la passione per i dolci aveva preso il sopravvento sulle altre attività cerebrali. Non so in che proporzioni la ricotta avesse influenzato questa mia scelta. Non dissi nulla di tutto questo a mia madre, perché quando ti sfoghi vuoi solo sentirti dire: "Hai ragione!". Un racconto assolutamente fazioso è essenziale.

Mio padre cercò di emettere un giudizio distaccato: "È

una ragazza tosta, con le idee molto chiare. Ogni volta che andrai contro uno dei suoi princìpi, avrai vita dura".

Mia madre: "Mettilo in conto, non è cosa da poco".

Mio padre: "Però meglio averlo scoperto oggi, perché così sai cosa ti aspetta".

A cena terminata, con una complicità da agenti segreti, mio padre mi propose di accompagnarmi fino all'auto, con la scusa di fare due passi. Aveva in testa qualcosa, ma fino a quando non arrivammo in portineria si limitò a dei sorrisi di circostanza.

Giunti in strada, si guardò attorno per appurare che nessuno potesse sentirci, poi con una sola parola mi rivelò la soluzione per uscire indenne dalla mia situazione: "Tanatòsi!".

"Scusa, papà, che hai detto?".

Lui, senza smettere di guardarsi in giro, ripeté a bassa voce: "Tanatòsi!... Non posso parlare a voce alta, Arturo, non vorrei che ci fosse qualche vicina, amica di tua madre".

Quell'agitazione mi contagiò, e anch'io iniziai a controllare i movimenti e a parlare a bassa voce: "Scusa, spiegati meglio!".

Lui, sempre guardingo: "Tanatòsi, da 'thanatos', in greco vuol dire morte. È la strategia di alcuni animali come l'opossum della Virginia o il camaleonte africano. Quando sono minacciati da un predatore, fingono di essere morti".

Ero pronto a discorsi da padre a figlio, a massime intrise di saggezza o a consumate confidenze fra uomini. Questa teoria da "National Geographic" mi stava completamente spiazzando: "Tanatòsi?".

Lui era stupito dalla mia reazione a scoppio ritardato: "Ma certo, secondo te il camaleonte africano, lento com'è, come farebbe a scappare dal suo predatore? Addirittura diventa grigiastro, come quando muore realmente. Noi questo, purtroppo, non riusciamo a farlo...".

"E allora fin dove possiamo spingerci noi?" chiesi cercando di intercettare il suo sguardo.

"In giovane età si pensa di poter rispondere a tutto e a tutti, poi la biologia ci viene incontro ricordandoci che siamo animali. E che non è la più intelligente delle specie a sopravvivere, e nemmeno la più forte. La specie che sopravvive è quella in grado di adattarsi meglio ai cambiamenti dell'ambiente in cui si trova".

Questa la sapevo: "Darwin!".

Mi sbagliai. "Viene erroneamente attribuita a Darwin" spiegò lui "in realtà è la deduzione che fa un professore universitario dopo aver letto *L'origine delle specie* di Darwin".

"Papà, non pensavo che avessi questa passione".

"Mi sono documentato per non soccombere" rispose, allarmato. "Ci sono situazioni che non puoi affrontare" continuò a spiegare sempre sussurrando "perché consumeresti tutte le forze e ti ammaleresti. Allora far credere qualcosa che non è resta l'unica via di uscita". Mi parlava con la stessa convinzione di qualcuno sul punto di svelarmi il segreto della felicità: "Oggi sei cane, domani sei gatto!". Lo guardai dubbioso. "Fidati. So quello che dico. Funziona! Quindi non ti mettere a discutere se è giusto rispondere al prete o se è giusto credere. Lei è felice se credi? Credici! Impara le risposte da dare al prete e ti risparmi un sacco di discussioni, rivendicazioni future e rotture interminabili. Del resto, hai avuto un'educazione cattolica, qualcosa ti sarà rimasto! Adeguati al clima per non estinguerti!". Mi aprì la portiera dell'auto e mi diede una leggera spinta per farmi salire. Poi mi fece cenno di abbassare il finestrino: "Ti confesso un segreto che devi portarti fino alla tomba". Mi allarmai. "Neanche io conosco tutte le risposte da dare al prete durante la Messa. E tua madre non se n'è mai accorta! E lo sai perché?".

"Perché?".

"Perché non faccio gli errori che fai tu. La chiesa sempre piena, sempre! La sopravvivenza della specie, Arturo, è importante!". Mentre mettevo in moto, mi congedò con queste ultime parole: "E ricordati dell'opossum della Virginia, e del camaleonte africano!".

Lei stava ancora dormendo. Non era quindi nelle condizioni per ricordarmi, come faceva da quasi un mese a questa parte, quanto mi avrebbe giovato pregare il Signore per avere un sonno più sereno. Era diventata più radicale, e adesso notava infastidita che non mi facevo il segno della croce all'inizio dei pasti.

Fu una notte particolarmente agitata. Le frasi di mio padre, Darwin, le immagini dell'opossum della Virginia si mescolarono nel dormiveglia. Mi svegliavo ogni paio d'ore e mi ritrovavo a chiedermi se sarei stato in grado, come lui, di praticare per tutta la vita la strategia del camaleonte africano. E soprattutto se questo fosse giusto e corretto nei riguardi di Lei, e anche nei miei. Forse per la generazione di mio padre era un'esistenza accettabile, e forse anche per questo in passato c'erano meno coppie in crisi, almeno ufficialmente. Ma che senso aveva fingere per sopravvivere, quando oggigiorno l'umanità pretende di vivere?

In quelle ultime settimane l'intensità degli avvertimenti di Lei sul peccato, anziché sbiadire a poco a poco, era aumentata proporzionalmente all'inasprirsi delle pene divine sciorinate. Mancare alla giornata della spesa solidale per i poveri significava accumulare punti per l'inferno. Esclamare "Oh, Gesù" era una bestemmia non più pronunciabile. E non bastava portare a difesa tutti i film di Woody Allen, tra l'altro comprati nei negozi delle suore Paoline. Era arrivata perfino a irritarsi perché il venerdì mi mangiavo un'arancina alla carne: ma al pesce in città nessuno le aveva ancora mai fatte e comunque, eventualmente, quelle sì che sarebbero state delle bestemmie! Niente, la salvezza dell'anima non guardava in faccia nessuno e soprattutto non ammetteva ironie. Anche perché la cosa si stava facendo maledettamente seria. A un certo punto fu messa in discussione l'educazione del figlio che ancora non avevamo: "Mio figlio deve avere un'educazione cattolica!".

Visto che quella volta eravamo in procinto di andare a letto, e non era escluso che ci scappasse un "Bond, James Bond", avevo colto la palla al balzo: "Amore, prima facciamolo e poi ne parliamo".

"Eh no! Meglio chiarire subito!".

"Ma io non ho alcun problema a dare un'educazione cattolica a nostro figlio. Battesimo, Prima comunione, Cresima. Facciamo tutto. Magari evitiamo di invitare troppi amici, soprattutto quelli che non hanno figli. Risparmiamoli".

"Vedi che non dai il giusto valore alle cose? Mica sono delle pratiche burocratiche! A che cosa serve la Cresima?".

"Flora, non mi puoi fare l'interrogazione ora! È tardi, sono stanco e pensavo di affrontare argomenti di tutt'altro genere".

"Lo vedi? Lo vedi qual è il tuo approccio alla fede? Ma la cosa grave è che questo atteggiamento ti piace!".

"Ma te l'ho già detto, credo di avere una fede nella media".

"Non puoi aspirare ad avere una fede nella media. Nessuno aspira alla media". Quanto a questo, ancora, non mi conosceva bene. E aveva aggiunto: "Soprattutto quando si parla di fede!".

Si era infilata sotto le coperte, con un atteggiamento che decisamente non prevedeva nessun "Bond, James Bond".

"Ma sono sicura che il tuo Angelo Custode ti stia osservando e prima o poi si farà sentire. Ti dobbiamo solo aiutare".

Era arrivata alla fase riflessiva: ero un peccatore e andavo salvato.

Quella notte, dopo la cena con i miei, capii che non ce l'avrei fatta a vivere come un opossum qualunque. Dovevo fare qualcosa, ma non sapevo ancora cosa.

L'indomani, mentre io mi trascinavo in pigiama verso il tavolo della cucina per bere il mio solito latte e cioccolato, lei era già pronta e alternava direttive indirizzate un po' a me, un po' al pasticciere al telefono. Tra quelle rivolte a me c'era anche quella di appendere un crocifisso in cucina. Era da un po' che mi era stato affidato questo compito, che tralasciavo regolarmente. Era la sequenza di cose da fare che mi scoraggiava: spostare il frigorifero, oggetto pensato per stare fermo, pulire quello che si trovava sotto (perché una volta che sei lì, che fai, non dai una spazzata?), portare su la scala dalla cantina (un vecchio modello pesantissimo che ti passava la voglia di fare qualunque cosa), trovare il martello e un chiodo che molto probabilmente sarei dovuto andare a comprare, piantarlo indovinando il punto esatto e poi rimettere tutto a posto. Insomma, speravo in un miracolo e che il crocifisso si appendesse da solo.

Prima di andar via, trafelata, si avvicinò per salutarmi e mi concesse una tregua: "Lo sai che ti amo e che se faccio tutto questo è perché mi piacerebbe che anche tu capissi l'importanza del Signore nella nostra vita. Se non ti amassi, non mi preoccuperei così tanto!".

La seguii con lo sguardo mentre usciva, pensando che questi erano i momenti che ci tenevano ancora uniti. Ma era chiaro che dovevo fare qualcosa.

Tornai a concentrarmi sul mio latte e cioccolato. Per pigrizia non ho mai riscaldato il latte, e scoppiare le bolle d'aria di cioccolato dentro la tazza era diventato il momento in cui riuscivo a pensare meglio. E fu tra una bolla e l'altra che mi venne in mente la cosa giusta da fare. Osservai con attenzione il Calendario di frate Indovino appeso accanto al frigo, mi avvicinai e ragionai: "Lei mi vuole cattolico praticante.

Bene, allora praticherò la strategia dell'opossum 2.0! Oggi è il primo del mese, da oggi fino a tutto il mese... no, forse è troppo... da oggi fino alla terza settimana del mese io sarò un uomo profondamente cattolico. Sarò più cattolico dei cattolici medi, perché praticherò ogni santo giorno la parola del Signore e seguirò gli insegnamenti dei cinque evangelisti!". Ed evidenziai le prime tre settimane.

Solo dopo mi ricordai che gli evangelisti erano quattro.

12.

Se volevo farlo, dovevo farlo bene. E se volevo farlo bene, non potevo basarmi sui miei ricordi del catechismo: scarsi e confusi, risalivano ai tempi della scuola. Però non avevo neanche voglia di mettermi a studiare per una provocazione. Il giorno dopo, a venirmi incontro fu Tommaso, anzi, per l'esattezza suo figlio: Luca.

Come tutti i novenni gli toccava la Prima comunione. Chissà perché i genitori provano il bisogno sadico di invitare i propri amici alle Comunioni e alle Cresime dei figli, come se fossero eventi significativi per il resto dell'umanità. Per quanto mi riguarda, alla frase: "Mio figlio sabato prossimo fa la Prima comunione", la massima reazione che posso esprimere è: "Ah, bene". E il sadismo è proporzionalmente inverso al numero di figli dell'invitato. Se il numero è zero, non hai neanche la consolazione di far passare un pomeriggio in allegria alla tua prole. A me toccava, Tommaso ci teneva tanto. E forse era anche il suo modo per prepararmi a una eventuale paternità.

Superare la cerimonia in chiesa fu facile. Mi feci vedere dai genitori – dal bambino no, perché tanto a loro non frega nulla se l'amico di papà è presente, purché ci sia il suo regalo. Scattai una foto vicino all'altare e poi finsi di tornare al posto, in fondo alla chiesa, ma invece mi recai al bar di fronte, in attesa di rispuntare alla fine. Si trattava di una strategia consolidata in tanti anni.

Una volta a casa di Tommaso per il rinfresco, per la noia cominciai a girare fra le stanze, ed entrai nella camera di Luca. E, sbirciando tra i suoi libri, ecco che mi apparve il senso di quella giornata: *Gesù avrebbe fatto così!*, un libro sulla religione cattolica per i più piccoli. Insomma, avevo trovato un bignami per cattolici. Lo sfogliai, non era un testo particolarmente complesso, sarebbero bastate anche solo le figure. E così la mia conversione ebbe inizio con il furto di un libro su Gesù a un bambino. Niente male.

La prima accortezza era non farmi scoprire subito. Quindi era fondamentale una conversione graduale. Alla Messa del pomeriggio arrivai preparato con un foglio con le risposte per fare un corretto controcanto al prete, anziché emettere la mia solita supercazzola. Non era come rispondere a memoria, ma era pur sempre un segnale di cambiamento. E dallo sguardo di Lei capii che aveva apprezzato il gesto. Poi azzardai l'attacco di *Tu sei la mia vita*. E non contento feci il secondo coro per il passaggio "... Se tu sei con me / Se tu sei con me". Ma il vero colpo di teatro arrivò appena rientrati a casa. Il crocifisso campeggiava sulla parete in bella mostra! E ad appenderlo non era stato lo Spirito Santo come avevo sempre sperato. Lei mi abbracciò per la sorpresa. Come secondo giorno da cristiano andava bene, ma non benissimo. Tutte queste mie azioni potevano essere scambiate per slanci di affetto correttivi del partner. La mia conversione non era stata realmente notata. Decisi di azzardare.

Il giorno dopo arrivò una seconda buona notizia, sul fronte Indomabile: l'antenna telefonica era stata rimossa. Per Roberto fu una conferma alla sua convinzione, che cioè fosse stata installata solo per la vicinanza agli uffici della Regione. Trasferendo gli uffici, non c'era più motivo di essere gentili con il potente di turno. Sulla carta i problemi più evidenti si erano eclissati, l'Indomabile si era trasformata nell'appartamento ideale. Nessun potenziale acquirente avrebbe mai saputo che ogni tanto un signore praticava del sesso sul terrazzo davanti, a meno che non incorressimo in un festino proprio durante la visita. Ma mentre scorrevo i documenti dell'Indomabile, mi accorsi che i venditori erano amici di Lei. Quei nomi li conoscevo, Lei li aveva nominati in diverse occasioni. In Sicilia esiste il detto che agli amici e ai parenti "nun cià cattari e nun cià vinniri nenti", non comprare e non vendere nulla, perché potrebbe essere fonte di litigio. Ed effettivamente questa cosa rendeva l'operazione immobiliare un po' più delicata. Ma io ormai avevo preso una strada ben precisa e non potevo mollare il colpo al primo conflitto d'interesse. Anzi, poteva essere un modo per far arrivare a Lei il messaggio che stavo cambiando, che avevo imboccato la strada del buon cristiano. Così, durante una visita, mentre Roberto gongolante raccontava come i due problemi dell'appartamento fossero svaniti, tanto che aveva addirittura organizzato un incontro tra venditori e acquirenti, io ripensai a un passaggio del libro di Luca, il figlio di Tommaso: "Per questo io sono nato e per questo sono venuto nel mondo: per rendere testimonianza alla verità. Chiunque è dalla verità ascolta la mia voce". Le parole di Gesù Cristo. Un buon cattolico, mi dissi, dovrebbe dire tutta la verità.

Afferrai per un braccio l'acquirente, che aveva già l'assegno in mano, e me lo portai sul terrazzo per spiegargli l'annoso problema del signore che praticava il sesso all'aria aperta. Gli spiegai che da mesi gli davamo la caccia, ma che non si faceva mai trovare. Visto che l'impegno finanziario era importante sentivo necessario segnalarlo.

"Immagino che lei e sua moglie abbiate intenzione di organizzare delle cene in terrazzo".

Lui mi ringraziò, un po' basito da quell'onestà sbattuta in

faccia da parte di un agente immobiliare. Rientrato nell'appartamento, comunicò che aveva bisogno di più tempo per riflettere, sorprendendo sua moglie per prima.

In auto verso casa, realizzai la portata di quanto avevo fatto. Nessun agente immobiliare al mondo avrebbe mai boicottato in questo modo la vendita di un appartamento, men che meno se l'appartamento in questione era un'Indomabile. Eppure avevo provato una certa ebbrezza nel farlo, dovevo solo capire quale fosse l'origine di tale ebbrezza. Nel mondo dell'immobiliare, come ho già detto, mi ero ritagliato il mio spazio, non dico di disonestà, ma di lecita approssimazione che rasentava la disonestà. Ma non questa volta.

I miei pensieri furono interrotti dalla telefonata di Roberto: "Ciao, Arturo". Il suo tono era insolitamente serio. "Ma di cosa avete parlato con il cliente oggi, quando eravate sul terrazzo?". Non ebbi il coraggio di confidare al telefono il mio proposito, quindi gli farfugliai qualcosa e lo rassicurai che gli avrei spiegato tutto il giorno dopo.

Arrivato a casa, Flora non aspettò molto a tirar fuori l'argomento: "Com'è andata oggi, siete riusciti a vendere casa di Lucia? Mi ha detto che avevate un incontro con degli acquirenti molto interessati".

L'iceberg era in vista, ma continuai imperterrito ad apparecchiare: "Sì… solo che c'è stato un intoppo".

"E cioè?".

"Gli acquirenti hanno scoperto dell'anziano che fa sesso nel terrazzo di fronte".

Lei, avvicinandosi a tavola con i due piatti di pasta fumanti: "E come hanno fatto a saperlo? Non mi dire che lo ha fatto mentre gli acquirenti erano lì?".

Io, prendendo il mio piatto: "Gliel'ho detto io!".

"E perché?". La mia iniziativa catto-provocatoria aveva appena ricevuto il suo fischio d'inizio ufficiale.

"Ti devo confessare una cosa" esordii. "In questi giorni

ho riflettuto sulle parole che mi hai detto riguardo il mio rapporto con Dio, la fede, la religione". Non avevo il coraggio di guardarla in faccia, e mi concentrai sugli spaghetti fumanti. "In questi anni ho trascurato Dio. Con il passare del tempo dai tutto per scontato, mentre una delle cose che non possono essere scontate è proprio la fede, come hai detto tu. Bisogna sempre metterla in discussione". Sollevai gli occhi quel tanto per accorgermi che le mie parole avevano la sua completa attenzione. "E quindi oggi, quando stavano per acquistare l'appartamento, ho pensato che era giunto il momento di tornare a vivere da vero cristiano, come quando da ragazzino ti danno le prime nozioni. E così ho spiegato all'acquirente quale fosse il problema".

Mi fissava come se le avessi raccontato che mi era spuntato un terzo orecchio. "E perché glielo hai raccontato?".

"Come, perché: 'Se rimanete nella mia parola, siete davvero miei discepoli; conoscerete la verità e la verità vi farà liberi'. Dal Vangelo secondo Tommaso".

"Tommaso non ha scritto Vangeli!".

"Insomma, uno degli apostoli che ha scritto un vangelo", e cominciai a mangiare con l'aria di chi non vuol dare troppa importanza alle proprie parole. "Dici che ho fatto male?".

"No, Arturo, sono solo felice. Sorpresa, ma felice. Non avrei mai immaginato questa tua reazione alle mie parole".

"Hai una faccia strana".

"Forse stai tenendo un atteggiamento un po' estremo. Voglio dire, se non avessi detto niente all'acquirente non è che avresti commesso alcun peccato. Non è mentire".

"Scusami" dissi con gli spaghetti a mezz'aria "ma qui non è solo un problema di dire una bugia o meno. È anche una questione di correttezza verso il prossimo". Stava per sfuggirmi "verso un fratello", ma forse come prima discussione era un po' troppo. "Poi deciderà lui se comprarla o no. E se non la compra non sarà certo per colpa mia".

Lei non sapeva come aggirare la mia obiezione. "Sai, Lucia ci teneva... le servono quei soldi per comprare casa".

"Sì, ma una casa per le vacanze. Poi se non riesce a comprare proprio quella, ne troverà un'altra...". Una forchettata ancora e poi mi lanciai: "Del resto, siamo nelle mani del Signore!".

Temetti di aver esagerato. Per fortuna lo squillo del cellulare di Lei mi salvò. Era proprio Lucia, la chiamava dispiaciuta per raccontarle del mancato acquisto, non capiva come mai avessero cambiato idea così all'improvviso e tentava di sapere qualcosa da me, tramite Lei. Lei diede la colpa all'acquirente, non se la sentiva di spendere tutto quel denaro.

Fu un atto d'amore che apprezzai molto.

13.

La mia terza giornata da buon cristiano sembrava terminata. Ma dovevo affrontare un argomento che prima o poi sarebbe venuto a galla. E il letto era il posto giusto: il sesso. Come dovevamo comportarci adesso. In linea teorica si sarebbe dovuto praticare solo per procreare, non per il piacere fine a se stesso. Come porsi con Lei? Ogni tanto mi rintanavo nello stanzino delle scarpe con la torcia accesa – perché rimandavo sempre il cambio della lampadina fulminata – a consultare, come se fosse un giornaletto porno, il libro di catechesi del figlio di Tommaso. Che ovviamente in questo caso non mi poteva essere d'aiuto, vista l'età dei lettori a cui era destinato il libro, e per di più con quel titolo, *Gesù avrebbe fatto così!* Chi avrebbe avuto il coraggio di dire come avrebbe fatto Gesù in materia di sesso?

Io ero pazzo di Lei e tre settimane di astinenza per quella che alla fine era una semplice goliardata era un po' troppo. Quella sera, Lei apparve in camera con indosso una sottoveste molto sexy e mi sussurrò all'orecchio: "Bond, James Bond?".

Presi il toro per le corna, ora o mai più. Le sorrisi, ma tornai subito serio: "Forse dovremmo rivedere questo aspetto della nostra coppia, affrontandolo da un diverso punto di vista".

Mi fraintese: “Arturo, io cose strane non ne faccio. E pensavo che neanche tu fossi il tipo”.

“Non intendevo da quel punto di vista” la tranquillizzai. “Stavo pensando a una coerenza fra la nostra vita privata e la religione che professiamo”.

L’atmosfera sexy evaporò: “No, Arturo. Anche a letto no, ti prego!”.

“E perché no, il sesso non fa parte della vita? Non ci rimettiamo sempre al Signore? In qualunque cosa facciamo?”.

“Anche la Chiesa ormai è molto meno rigida a riguardo. Ormai nessuno ti chiede più di fare sesso solo per procreare. Certo non ti invitano a fare l’amore con chiunque, ma con la persona che pensi potrà condividere con te il resto della vita, sì. Allora noi viviamo nel peccato perché conviviamo? Dài, Arturo, smettila!”. E si abbassò una spallina della sottoveste per far rialzare il desiderio.

Ne approfittai: “Dovremmo chiarire anche questo aspetto!”.

Sbuffò. Sbuffò e ri-sbuffò. E all’improvviso fu come se stesse indossando un pigiama di pile: “No, Arturo. Ti prego, ti prego. La Chiesa manda messaggi contestualizzandoli nel momento storico”.

Si appoggiò al cuscino: “Quando fecero il primo trapianto di cuore la Chiesa si pose delle domande. Se fosse eticamente giusto o meno. Adesso, grazie anche a queste riflessioni, abbiamo delle regole moralmente sensate. Un cristiano di oggi non può vivere come un cristiano di due secoli fa. Il mondo cambia e non si può stare fermi, neanche con la fede”.

“È un discorso molto pericoloso questo, perché è la via per l’interpretabilità di una fede. E poi la Chiesa è fatta da uomini, e in quanto tali non perfetti”.

Era sfinita. “Esatto” disse. “E, in quanto uomo, non sei privo di errori nemmeno tu! Buonanotte”.

Stava per spegnere l'abat-jour, ma si accorse di una scatoletta sul suo comodino.

"Fai tutta una predica sul sesso e poi mi piazzi un pacchetto di preservativi sul comodino?".

"No, sono i fioretti di maggio alla Madonna" le spiegai. "Una versione tascabile con le carte. Una carta per fioretto. Pensavo che ogni tanto potremmo sostituire così il nostro 'Bond, James Bond'".

Spense la luce e io decisi di non tornare più sull'argomento per paura di convincerla.

La mattina seguente ad attendermi in ufficio c'era un inquieto Roberto. Davanti alla sua espressione rabbuiata, mi feci una domanda a cui non avevo mai pensato: "Ma 'sta storia del diventare cristiano, la devo allargare anche agli amici e parenti? O dovrei limitarmi alla sfera familiare?".

Non ebbi il tempo di ragionarci troppo, Roberto mi si fece incontro: "Ma cosa gli hai detto?". Parlare della mia conversione, o presunta tale, a uno come lui sarebbe stata un'impresa, ma non vidi altre soluzioni. "Vedi, Roberto, in questo periodo ho frequentato un po' di più la Chiesa. Da quando sono fidanzato, vado regolarmente a Messa ogni domenica. E sto iniziando a vedere le cose da un altro punto di vista. Un punto di vista che in realtà conoscevo, ma che con il passare del tempo ho trascurato e reso innocuo, in un certo senso".

"Arturo, ma cosa c'entra con la mia domanda?". Era abbastanza disorientato, non era un argomento che trattavamo regolarmente.

"Aspetta, Roberto, ora ci arrivo. Ho capito come mi stessi allontanando da quella che è sempre stata la mia educazione cristiana-cattolica. Di riflesso, anche il mio modo di lavorare forse non rispecchia a pieno una visione cristiana della vita". Roberto continuava a guardarmi basito. "Sì, questo modo di fare degli agenti immobiliare va contro la parola di Gesù. Ecco, l'ho detto. Quindi, per rispondere alla tua domanda: ho accompagnato l'acquirente in terrazzo per parlargli del vecchio che fa sesso. Ho pensato che non fosse una situazione adatta a una coppia simile". Roberto muoveva le labbra per replicare ma non usciva alcun suono. "Ora scusami, ma devo scappare che ho un appuntamento".

E vigliaccamente scappai. Mi dispiaceva fingere anche con lui, ma sapevo che, se avessi raccontato la verità della mia provocazione, la cosa non sarebbe durata molto. E sarebbe stato un peccato, perché in fondo cominciavo a divertirmi.

Certe conseguenze della mia conversione non le avevo considerate: ne arrivarono alcune del tutto inaspettate. Roberto aveva raccontato in giro della sfumata vendita della Indomabile e la cosa stava cominciando a diventare un mito nelle agenzie immobiliari della città. Passando di bocca in bocca, il mio ritorno alla fede venne amplificato fino a toccare vette epiche. Qualcuno arrivò a dire che mi stavo facendo frate, e tra gli agenti immobiliari partì un acceso dibattito: un frate poteva vendere case? Ai loro occhi l'agente-frate era un'evidente contraddizione, se si voleva fare il frate seriamente. O l'agente immobiliare, seriamente.

Da qui alle orecchie di Tommaso il passo fu breve. Alla fine di un allenamento mi si avvicinò, con la scusa di farsi prestare il phon, e con un cenno del mento mi chiese: "Ma cos'è questa storia della tua conversione e che ti devi fare frate?".

Risposi calcando sullo stupore: "Ah, non so proprio da dove sia nata. La voce è arrivata anche a me".

"Se non riusciamo a vendere quell'appartamento, non raggiungeremmo l'obiettivo di quest'anno".

Tommaso sapeva passare da un discorso da amico a un

discorso tra superiore e sottoposto in modo fulmineo. Anche se indossava solo un asciugamano attorno alla vita, sembrava che fosse lì davanti a me vestito di tutto punto, cravattona compresa. Ogni volta che succedeva, mi sentivo a disagio e mi passava la voglia di dargli tutta quella confidenza. Anche perché io ero ancora in mutande. Poi, come era arrivato, il capo se ne andava e tornava l'amico, questione di pochi secondi. "Ma parliamo di cose serie: stiamo andando forte con la squadra. E tu sei un ottimo portiere. Devi correggere solo alcune cose".

"Ma lo sai, io non sono un vero portiere!".

"È solo per divertirsi. Mica siamo dei professionisti". E se ne andò, senza neanche prendersi il phon.

Forse la mia conversione aveva avuto un inizio un po' troppo drastico. Dovevo allentare la tensione tra me e Flora. Staccare qualche giorno dal lavoro e stare insieme ci poteva fare solo del bene, magari per un weekend. Alla mia proposta disse subito di sì, senza pensare neanche a come liberarsi dal lavoro, e prima della partenza sembrava addirittura essersi abituata alla mia conversione. Non se ne uscì più con alcun commento, nemmeno la prima volta che mi vide fare il segno della croce prima di mangiare. Non capivo se dubitava della mia fede o se non mi voleva dare la soddisfazione della vittoria.

14.

Promisi a me stesso che durante quel weekend mi sarei dato una calmata. Alla fine ciò a cui tenevo di più era Lei. E anche se finora la mia conversione era stata fonte di piccole tensioni fra noi, sapevo che se avessimo superato le mie tre settimane da cristiano il nostro rapporto sarebbe stato più forte e solido. Con questo animo partimmo per un tour attraverso il ragusano e il siracusano. Avremmo soggiornato a casa di zio Salvo, fratello del mio forse futuro suocero. Per l'occasione la madre di Lei preparò una cassata enorme da offrire ai parenti per il disturbo. In Sicilia le misure sono importanti. Io mi sentivo così pieno di buoni propositi che evitai persino di proporne la versione Pac-Man – una tecnica che utilizzavo spesso per giustificare l'assenza di una fetta. (Più avanti la spiego nel dettaglio).

Erano giorni preziosi, ne eravamo consapevoli, e lei fece i salti mortali per ritagliarsi un po' di spazio per noi due. Così, non ci scoraggiò neanche la scossa di terremoto che il giorno prima aveva colpito la zona che avremmo dovuto attraversare per raggiungere la nostra meta. Avevo curato il viaggio nei minimi particolari per renderlo confortevole: prima di tutto, fondamentale, la colonna sonora. La scaricai "off line" – la caduta di segnale del cellulare poteva essere fatale – e sincronizzai il telefono con lo stereo dell'auto, per risparmiarci quella mezz'ora che si impiega a collegare il cellulare con il bluetooth. Le playlist spaziavano fra vari gusti musicali, così avrei potuto accompagnare, correggere e guidare i più diversi stati d'animo. Innanzitutto quelle romantiche, molto New York in autunno. Un po' di classica. Poi i pezzi più allegri e leggeri. E gli evergreen impossibili da non cantare, italiani e stranieri. Il giorno prima lavai pure l'auto. Per la prima volta in vita mia.

Era tutto perfetto. L'odore della primavera entrava dai finestrini e una leggera aria calda ci carezzava il viso, bilanciando il fresco della giornata. Come un plaid per il sonnellino pomeridiano. Anche se non fa freddo, la coperta completa il sentimento di felicità. E se la felicità è più vera quando viene condivisa con chi si ama, allora anche un viaggio in auto può diventare indimenticabile. Quel tratto di strada che si percorre per spostarsi tra l'ovest e l'est della Sicilia, poi, ha dell'incredibile. Una Sicilia d'altri tempi, un paesaggio roccioso dal predominante colore giallo. A un certo punto, verso il centro dell'isola, sembra di entrare in Svizzera. I colori cambiano. Ti ritrovi fra alberi altissimi e il verde domina su tutto. Del resto Enna è il capoluogo più alto d'Italia, oltre i 900 metri di altitudine. Gli ennesi conoscono la nebbia forse ancora meglio, ormai, dei milanesi. Da palermitano ho sempre fatto notare che nascere in Sicilia e in montagna ha un retrogusto di sfiga. Ma gli ennesi mi hanno sempre risposto che alla fine loro erano i più fortunati, perché potevano godersi sia il mare che la montagna.

Le migliori intenzioni e il proposito di mitigare temporaneamente la mia conversione, però, non avevano fatto i conti con le irresistibili occasioni che la vita riserva. A metà viaggio si spense il collegamento bluetooth con lo stereo e, chissà per quale miracolo tecnologico, si attivò la radio proprio mentre andava in onda il radiogiornale locale. Parlavano di un paesino che stavamo per oltrepassare, a poche centinaia di metri ci sarebbe stata l'uscita. Le notizie erano abbastanza drammatiche. Non c'erano stati morti, ma la popolazione aveva passato la nottata all'addiaccio e gli aiuti, come spesso capita, erano in ritardo. E noi eravamo lì!

Fu più forte di me. Così, mentre Lei stava dicendo: "Poveretti! Questo Paese non cambierà mai, come si fa ad abbandonare questa gente?", rallentai e accostai.

"Perché ti sei fermato?".

Illuminato, dissi: "Queste persone stanno a neanche un chilometro in linea d'aria. Tra qualche metro c'è l'uscita. Forse possiamo fare qualcosa per loro".

Mi guardò smarrita: "Ma... ci stanno aspettando. Non arriveremo mai in tempo per il pranzo!".

"Tanto saremmo arrivati con un paio d'ore di anticipo, ci risparmiamo i convenevoli. E poi staremo lì due giorni, avremo modo di recuperare". Indicai il cartello stradale. "Vediamo se possiamo essere utili e poi ce ne andiamo via". Rimase senza parole. Ne approfittai e ripartii infilando l'uscita. I miei piani per darmi una calmata saltarono miseramente.

A fine giornata, sdraiato sul letto dai parenti di Lei, distrutto per la stanchezza tanto che non avevo neanche la forza di cenare, mi sentii leggermente in colpa. Non avevo il diritto di mettere a così dura prova il nostro rapporto. Ma al tempo stesso ero percorso da un sentimento di gioia per aver fatto quello che avevamo fatto. E sono certo che anche Lei provava lo stesso, anche se alla fine era prevalso un atteggiamento che in parte (ma molto in parte) fu di tutela nei miei confronti davanti ai suoi parenti. Lo capii ascoltando, involontariamente, il dialogo che avveniva nell'altra stanza: ci aspettavano per pranzo e invece ci avevano visti arrivare a cena con la corriera. A condurre l'interrogatorio ero lo zio Salvo, seduto a capotavola, con intorno la moglie, cugine/i vari e nipoti, curiosissimi di sapere come erano andate le cose. Lei rispondeva tra un boccone e l'altro. Ad ascoltare sul divano c'era lo zio Corrado, considerato da tutti un po' il coglione della famiglia perché da sempre all'ombra della sorella, nonché moglie di zio Salvo.

"Ma come vi è venuto in mente di andare a soccorrere i terremotati?".

"Non è stata una mia idea, ma di Arturo. In questo momento sta vivendo un periodo particolare, di conversione. Si sente vicino ai più deboli".

La cuginetta: "Ma perché ha tutti vestiti sporchi?".

"Perché ha aiutato una famiglia che aveva la casa sommersa dai detriti. Il terremoto ha fatto franare un pezzo di montagna".

La zia: "E perché, dopo la doccia, non si è messo i vestiti puliti? Vi sarete portati un cambio, no?".

"Ha donato i suoi a un'altra famiglia che non poteva rientrare a casa. Ve l'ho detto, è in un periodo particolare".

Lo zio: "Scusa, un'altra cosa. Siete partiti in auto e siete arrivati in corriera. Che fine ha fatto la vostra automobile?".

Qui Lei perse la sicurezza nel rispondere. Ebbe una leggera esitazione che non sfuggì ai parenti, che non vedevano l'ora di emettere la mia condanna a morte. "L'automobile..." sentii il tintinnare della forchetta. Prendeva tempo con la scusa di ingoiare un boccone, nella speranza di trovare il modo più consono per dirlo "... l'automobile è rimasta lì".

"Avete bucato? Posso chiedere al mio meccanico se conosce qualcuno...".

Per non aggravare la situazione Lei lo interruppe: "No, no, non c'è nessun guasto all'auto!". Proseguì sempre più imbarazzata: "Molte persone hanno trovato ospitalità, ma non tutte. Sarebbero dovute andare nei paesi vicini. E siccome qualcuno aveva paura degli sciacalli, Arturo ha proposto di lasciare la propria auto".

A questo punto tutta la famiglia fece un minuto di silenzio, che ruppe lo zio: "Con san Francesco si mise!". La zia azzardò un'ultima domanda, temendo di conoscere già la risposta: "Ma in tutto questo la cassata di tua madre dove è finita?".

Lei la guardò confermando con i soli occhi.

"L'ha donata ai terremotati?".

Lei: "Sì!".

Quando mi raggiunse in stanza, non mi diede il solito bacio in fronte prima di infilarsi sotto le coperte. L'assenza del bacio era un campanello d'allarme della sua infelicità, ma purtroppo non ne specificava la causa. Io applicai la strategia dell'opossum della Virginia e finsi di dormire.

L'indomani mi comportai come se nulla fosse. Anche i suoi parenti fingevano normalità, ma sapevo di essere il nuovo parente che oscillava tra "questo è in odore di santità" e "questo è cretino". L'atteggiamento di lei, invece, era "non facciamo storie davanti ai parenti". Era terrorizzata dal loro giudizio, dalla possibilità che lo zio Salvo chiamasse suo padre e gli dicesse che il suo potenziale genero era matto da legare.

Visitammo Siracusa e Ragusa tutti insieme senza nominare la parola terremoto; e anche quando l'argomento tendeva in quella direzione, lo zio Salvo cambiava subito soggetto. L'unico a mostrarmi solidarietà e stima era zio Corrado. Ogni cosa che dicevo per lui era frutto di genio. Il silenzio di Lei era sempre più evidente, segno della imminente valanga. Perfino quando mi accompagnò a comprarmi dei vestiti nuovi non fece alcun riferimento. Se ero ancora salvo, lo dovevo ai parenti, ma non me la sarei cavata ancora per molto.

Nell'ultimo pomeriggio, in previsione di una passeggiata da soli, avevo tentato di portare con noi almeno un nipotino dietro al quale proteggermi dagli attacchi, ma Lei bloccò la mia idea sul nascere. Doveva aver capito che il mio non era esattamente il gesto affettuoso di uno zio. Non fece scenate.

Il suo fu un discorso molto lucido e razionale. Sembrava che se lo fosse preparato da un po': "Arturo, ho cercato di vivere questa tua conversione con tutta la pazienza possibile. Lo so che 'pazienza' non è la parola giusta quando si parla di conversione, ma nel tuo caso sì. All'inizio ero felicissima, anzi se ricordi bene sono stata proprio io a spingerti ad avvicinarti al Signore. Ma adesso tutto questo sta creando problemi. Problemi tra di noi e problemi con la mia famiglia. Dio unisce, ma se lo vivi in questo modo separa. E non va bene. Dobbiamo trovare una soluzione, e al più presto. Perché così forse troverai il Signore, ma perderai me".

Detto questo, rimase in silenzio per il resto della passeggiata. Non erano previste repliche, commenti o osservazioni. Il suo carattere forte mi aveva sempre attratto, ma adesso confermava la mia tesi sulla cristianità facile a cui eravamo tutti abituati. Era la prova che quello che stavo facendo era giusto in linea teorica. Restai in silenzio, anche perché qualunque cosa avessi detto sarebbe stata usata contro di me. In ogni caso non sapevo come uscirne. Per un attimo pensai che forse era giunto il momento di confessare il mio diabolico piano e chiedere scusa... la situazione mi era un po' sfuggita di mano. Alla fine decisi di farla sbollire nel viaggio di ritorno e, una volta arrivati a casa, confessare. Contando sulla stanchezza del viaggio. Ma lei decise di farsi riaccompagnare da un parente che rientrava a Palermo per lavoro, mentre io, in corriera, avrei raggiunto il paesino terremotato e recuperato l'auto.

Fui accolto da una folla di persone e mi fissavano tutte. Si era sparsa la voce di questa strana coppia che aveva deciso di sospendere per un giorno la vacanza per prestare soccorso. E il fatto di essere andati via per proseguire la vacanza, senza auto, aveva reso il nostro gesto ancora più leggendario. Mi venne incontro un uomo, di corsa, e intanto si infilava una fascia tricolore. Il sindaco. Ci guardammo, ognuno pensando di avere davanti un marziano: "Faccio il sindaco da sette anni e il consigliere comunale da una vita, e le assicuro che non ho mai visto nessuno fare la cosa che ha fatto lei con sua moglie. La paura in queste situazioni è quella di rimanere soli, e voi non ci avete lasciato soli". Una rumorosa marea di donne, uomini e bambini si era unita a noi e annuiva a ogni frase. "Io non ho parole che possano esprimere la nostra gratitudine. Non so chi è, perché non conosco il suo nome, ma per noi lei è un angelo mandato dal Signore!". Io feci l'umile: "Non abbiamo fatto nulla di che!".

Mentre andavo a recuperare l'auto, dietro di me si formò, capitanata dal sindaco, una piccola coda di persone che andava via via assumendo l'aspetto di una processione. Al posto della statua del santo, c'ero io. Il nostro passaggio era accompagnato da un coro di "grazie, angelo", seguito da applausi e foto. Senza rendermene conto, cominciai a salutare come il Papa, arrivando perfino ad accennare una timida benedizione.

Giunti davanti alla casa pericolante, si fece avanti il proprietario: "Volevo ringraziarti per quello che hai fatto. Non solo per la nostra abitazione, ma anche perché hai dato un insegnamento prezioso a mia figlia. Ha capito che nella vita possono capitare anche delle difficoltà come il terremoto, ma grazie alla solidarietà, stando uniti, queste difficoltà si superano". Mi abbracciò di slancio. "Torna quando vuoi, questa è casa tua, angelo!". Qualcuno gridò: "Facciamo un bell'applauso ad Angelo!". E l'applauso scattò.

Cercai di sminuire il mio gesto, ero ben consapevole che fosse una conseguenza non prevista del mio piano. Me ne andai con l'accompagnamento della banda del paese che, nonostante le difficoltà, era riuscita a ricomporsi giusto in tempo per la mia partenza.

Deve esserci un processo chimico che rilascia delle sostanze benefiche nel corpo quando fai del bene al prossimo, pensai durante il viaggio di ritorno. Quindi fare veramente del bene non è privo di una certa dose di egoismo e forse, a meno che non si rischi in prima persona nell'atto di compierlo, non puoi considerarti un benefattore. Quella sostanza, se esisteva, doveva essere potente, perché quel giorno mi portò a uno stato di piacere così profondo e intenso che dimenticai il mio lato oscuro di "mentitore di conversione", e riuscii a godere dell'aiuto che avevo dato a persone che neanche conoscevo. Un aiuto che aveva alleggerito il loro dolore. E il fatto che per me quelle persone fossero degli emeriti sconosciuti non faceva che aumentare la gioia!

Il contrappasso era non potersene vantare con nessuno. Non sarebbe stato elegante, ma soprattutto avrei dovuto spiegare la premessa.

Anche se involontariamente, stavo vivendo una vita da cristiano. Aiutare il prossimo senza volere nulla in cambio era una cosa che, prima, non mi sarebbe mai venuta in mente.

Arrivai a casa tardi, Lei stava già dormendo. Mi infilai nel letto facendo attenzione a non svegliarla, ma non riuscii a prendere sonno. Disteso a occhi chiusi, mentre sentivo il suo respiro leggero, cercai di tirare le somme di quella vacanza. Per il mio progetto, era stata fallimentare. Ero riuscito a passare come un buon cristiano agli occhi del mondo, ma non con Lei e nemmeno con i parenti di Lei. Lo zio Salvo avrebbe parlato con il mio forse futuro suocero e la situazione si sarebbe aggravata ulteriormente. Ma qualcuno dalla mia parte c'era: zio Corrado. Peccato che lo zio Corrado fosse il coglione della famiglia.

Al nono giorno da cristiano, seriamente allarmata, Flora corse ai ripari: "Arturo, forse durante questa tua fase così importante, in cui hai deciso di intraprendere un percorso verso il Signore, hai bisogno di qualcuno che ti guidi. Eviterai di fare sbagli che magari, anche se involontariamente, potrebbero fare del male a chi ti sta accanto". Flora era molto preoccupata e quindi tentò, qualche giorno dopo, la carta dello specialista.

"Credi davvero che ci sia questo rischio?".

"Io sono strafelice di queste tue riflessioni e ti invito a non fermarti, te l'ho detto, ma visto che l'argomento è molto delicato... pensavo che forse è meglio che ti segua un prete. Ho chiamato don Vitrano e ti aspetta quando vuoi". Cominciava a trattarmi come un malato. E la cosa poteva andare a mio vantaggio. "Ma pensi che abbia fatto qualcosa di sbagliato, o forse di 'anticristiano'?".

"No, no, amore, non sto giudicando" disse lei, compassionevole. "Penso solo che in questa fase di riflessione tu abbia bisogno di qualcuno che ti possa indicare la strada. Tutto qui. Ovviamente non sei costretto ad andarci, ma sicuramente ti può dare una grossa mano". Opporsi avrebbe creato un ulteriore attrito e poi, anche secondo il senso del mio piano, era giusto assecondarla.

Stavo per recitare davanti a un prete la parte di uno che si sta convertendo. Due reati in uno, pensai davanti alla sacrestia prima di incontrare don Vitrano. Ma in fondo avevo già rubato a un bambino un libro su Gesù. Cosa c'era di peggio?

Don Vitrano era un prete adatto alla media-alta borghesia. Non chiedeva grandi sforzi ai suoi fedeli, se non quelli basilari. Per come avevo vissuto il mio essere cristiano fino ad allora, mi andava anche bene. Non ero così sicuro, però, di come avrebbe giudicato la mia nuova visione del mondo. A complicare le cose c'era anche il fatto che don Vitrano era il sacerdote di riferimento della famiglia di Lei. Stavo giocando con il fuoco.

Il don mi accolse con una gentilezza inusuale. Non che normalmente fosse sgarbato con me, piuttosto ai limiti della gentilezza, diciamo che prestava tutta la sua attenzione a Lei.

Questo mutamento poteva esser spiegato solo con due ragioni. La prima, che in fondo non ci eravamo mai incontrati da soli; la seconda, che Lei nella sua telefonata non si fosse limitata a informarlo della mia conversione, ma avesse aggiunto qualche raccomandazione nella speranza di portarmi a una posizione più mite. Mi fece accomodare su una sedia davanti alla sua scrivania e lui si mise di fianco a me – strano anche questo.

"Allora, ho saputo che ci sono grandi novità nella tua vita" esordì e si accese una sigaretta. Ho sempre avuto una strana sensazione quando vedo un prete fumare: questo vizio per me equivale a uno scarso impegno nella sua missione.

Non mi piacevano le foto con i politici potenti di turno, che il don mostrava con fierezza sulla scrivania. Tra le immagini riconobbi pure uno che era stato in carcere per reati legati alla mafia. Non sapevo dove guardare, stonava tutto. Lui continuò: "So che in famiglia sono rallegrati da questo nuovo percorso che stai intraprendendo e questo è bene, molto bene. Ma ti hanno così a cuore che si sono chiesti se non fosse il caso di indicarti una guida pronta a prenderti per mano. Attenzione!... Attenzione Arturo, solo per indirizzarti verso la giusta via. Il resto lo farà il tuo cuore e la bontà del Signore Dio nostro".

Volli chiarire subito la mia posizione, per non correre il rischio di essere inondato dalla retorica che ha sempre caratterizzato i corsi di catechismo della mia generazione: "Mi permetta di spiegare, in poche parole, quello che sta succedendo nella mia vita. Ho fatto delle riflessioni riguardo al mio rapporto con la fede e quindi mi sono chiesto se sia arrivato il momento di essere veramente cristiano. Alla fine ho deciso di esserlo. Tutto qui".

Ebbe una leggera reazione di sorpresa, che per i parametri di un sacerdote navigato come lui era già tanto, e si avvicinò di qualche centimetro. "Questa notizia mi riempie il cuore di gioia. Credimi. Oggi come oggi sono sempre meno le persone che fanno questa scelta di vita. Perché ormai l'egoismo è la vera fede in questo mondo. Il pensare sempre a noi stessi..." e seguì il predicozzo sull'egoismo dell'uomo che non pensa al prossimo, che non pensa a procreare, eccetera eccetera, mentre io misi al solito il cervello in stand-by, giusto il minimo per non perdermi il gran finale: "... però in questa fase, anche se involontariamente, potresti far del male a qualcuno pensando di far del bene. Ed ecco che la tua azione rivolta al Signore diventerebbe un qualcosa contro il Signore, contro!".

Mi difesi attaccando, e mi scostai di qualche centimetro: "Mi scusi, padre, mi dica dove ho sbagliato, così andiamo subito al lato pratico delle cose, perché tanto ho capito che ho commesso degli errori e che lei ne è a conoscenza!".

Cercò di tranquillizzarmi: "Ma non c'è niente che tu abbia sbagliato. Noi ti invitiamo a proseguire in questo tuo nuovo progetto di vita cristiana e lo sosteniamo, dico solo di stare attento a non far del male, ripeto seppur involontariamente, a chi ti ama e ti sostiene".

Insistetti: "Tipo?".

"Ci sono circostanze in cui essere troppo espliciti danneggia i rapporti in una comunità. Bisogna, certo, dire la verità, è importante, ma c'è modo e maniera. Si deve arrivare alla verità, ma adagio Arturo, adagio. In certe situazioni la sospensione della verità è una scelta saggia, se ponderata e posposta. La saggezza Arturo, la saggezza. Ricordati il Vangelo di Matteo: 'Chiunque ascolta queste mie parole e le mette in pratica, è simile a un uomo saggio che ha costruito la sua casa sulla roccia'. Adesso, vai e tienimi aggiornato riguardo alla tua esperienza. E sappi sempre che quando vuoi io ci sono". Mi benedì e si alzò per congedarmi. E mentre stavo per chiedergli perché raramente i preti entrano nel dettaglio, nella vita pratica, lui disse una frase che fu una illuminazione. Dolorosa: “E ti raccomando la vendita della casa di mia nipote, che ci tiene tanto!”.

Don Vitrano era lo zio della amica di Lei, la proprietaria dell’Indomabile! Un po’ come quando si litiga fra automobilisti, che in pochi secondi volano insulti e il vincitore è chi urla per ultimo e va via, tentai di essere l’ultimo a parlare sull’uscio, mi restava lo spazio solo per la battuta di congedo. Purtroppo mi venne in mente di dire solo questo: “E comunque non si fuma in sagrestia. Soprattutto non dopo aver messo un cartello di divieto. È poco cristiano non rispettare le regole!” e me ne andai cosicché non avesse il tempo di rispondere.

A casa, mi sfogai con Lei: “‘Chiunque ascolta queste mie parole e le mette in pratica, è simile a un uomo saggio che ha costruito la sua casa sulla roccia’. Ecco di quale casa parlava! Quella di sua nipote! Ti rendi conto della gravità del fatto?”. Lei mi guardava sconvolta, ma temo più per il mio volto paonazzo. “Il suo giudizio è totalmente compromesso dagli interessi personali, dal punto di vista cristiano è gravissimo!” infierii.

Tentò una difesa: “Ora non esagerare. Non dare tutto un significato letterale alle sue parole. Così sminuisci il messaggio”.

“Mi spiace, ma quello che ha fatto è gravissimo”.

“Arturo, ma non è possibile che tu ne sappia più di un prete!”.

“Purtroppo questa è la routine della fede. Alla fine ci si scorda di praticarla, oltre che professarla! Mi spiace, ma non credo di potere più assistere a una Messa celebrata da lui.” Lei si mise le mani sugli occhi per disperazione. “Anzi, sai cosa ti dico? Ci andrò, perché non bisogna chiudere le porte. Lo ha detto anche Papa Francesco nell’omelia di domenica scorsa: ‘La chiesa è la casa di Gesù, una casa di misericordia e non un luogo dove i cristiani possono chiudere le porte!’”.

Era stata una botta di culo: la domenica precedente, mentre cercavo il canale che manda in onda *Incidenti ferroviari*, avevo beccato proprio quell'omelia.

Il fatto che lei non replicasse stava a dimostrare che avevo vinto. Ma poco dopo, a letto, capii il motivo della sua ritrosia a litigare.

"Dopo una lunga opera di convincimento" disse Lei di punto in bianco "sono riuscita a farti invitare alla cena del Club. Per fortuna non hanno capito che convivo con la stessa persona che quella volta ha interpretato, in maniera disastrosa, il sostituto di Gesù nella Via Crucis. La cena è giovedì prossimo, ma tu mi devi promettere una cosa".

"Cosa?".

"Che la tua conversione non sarà causa di imbarazzo o di ulteriori litigi".

"Se ti mette in imbarazzo la mia presenza non devi necessariamente portarmi. Certo sono il tuo compagno, ormai conviviamo...".

"Ma no, tesoro. Te l'ho già detto: io sono molto felice della tua conversione" e mi diede un bacio. "Ho solo paura che, come tutti i novizi, tu sia un po' troppo estremo nelle tue posizioni".

"Va bene, me ne starò in disparte, in silenzio".

"In disparte non potrai, perché sarai seduto accanto a me".

"Allora starò in silenzio".

Intuendo che mi ero un po' offeso, cercò di rimediare: "Amore, io sono fiera di te. Solo che è una cena importante. È il comitato direttivo del club. Prima di me c'era mio padre seduto a quel tavolo e prima di lui mio nonno. È una tradizione a cui teniamo molto".

Ci addormentammo abbracciati, ma la mattina seguente mi sfogai al bar vicino all'agenzia, mangiandomi tutti gli sciù della vetrinetta. Non mi piaceva questo suo atteggiamento. Era evidente che un po' si vergognava di me e della mia scelta. E anche se non era una scelta di vita sincera mi dava comunque fastidio. E se fosse stata vera?

Post scriptum. Eccovi la descrizione della tecnica della cassata Pac-Man. Può essere replicata, ma è molto consigliabile non ripeterla con le stesse persone. Le possibilità di essere scoperti aumenterebbero notevolmente.

Decidete, quindi, di acquistare a Palermo una cassata per i vostri amici che vivono, ad esempio, a Roma. Però durante il tempo della custodia, non resistete e il vostro corpo ne pretende almeno una fetta. Come uscire da questa situazione? Semplice: levate dalla cassata tutti i canditi che si trovano sopra. Tagliate una fetta che combaci con la bocca del simpatico personaggio del videogioco e ne ricrei la famelica espressione. L'arancia candita andrà posizionata per simboleggiare l'occhio di Pac-Man. Quando entrate in casa del vostro ospite, dovrete creare una certa aspettativa: "Vi ho portato una cassata particolare, molto particolare!". Poi durante la cena snocciolerete piccoli indizi: "È una cassata speciale, un po' videogame!". Solo qualche minuto prima di presentarla, vi raccomando, annuncerete di aver portato una cassata Pac-Man! La curiosità e lo stupore degli ospiti accenderanno la serata e nessuno sospetterà di come siano andate realmente le cose. Si potrebbe tentare anche una cassata versione "Smile", ma lo sconsiglio. Due canditi al posto degli occhi non sono difficili da sistemare, il problema è ritagliare la bocca per ricreare il sorriso. È un'operazione delicata e comunque non si asporta abbastanza materiale da soddisfare la propria golosità. Rischio alto, soddisfazione bassa. Non ne vale la pena.

15.

Il Calendario di frate Indovino mi ricordava che ero arrivato poco oltre la metà del mio periodo di conversione e da un momento all'altro lo zio Salvo avrebbe chiamato il mio forse futuro suocero e sarebbe scoppiato l'inferno... ma ancora non era successo, e certo non avevo il coraggio di chiedere conferma a Lei. Così, ogni sera, quando rientrando sentivo che la mia chiave girava ancora nella toppa e la porta di casa si apriva, tiravo un sospiro di sollievo: fino a oggi tutto bene.

Ricevevo invece delle strane e insistenti telefonate da Emanuele e Francesco perché entrassi a far parte dei Giullari di Cristo.

Era trascorso ormai un anno da quando li avevo raggiunti in ospedale per raccontare loro del mio amore per Lei, eppure né allora né poi, nonostante provassi profonda stima per ciò che facevano, avevo mai manifestato il desiderio di mettermi un naso da clown e partecipare alle loro attività. All'ennesimo invito, mi decisi ad accettare, forse perché avevo scoperto il piacere di fare del bene agli altri.

Una volta in ospedale però, capii subito che c'era qualcosa che non andava. Erano tutti particolarmente gentili, ma di una gentilezza che tra amici è fuori luogo. Mi inondarono di domande sulla mia vita, come se volessero farmi parlare della conversione. Erano venuti a saperlo, era chiaro. E gli indizi mi portavano inevitabilmente a Lei. In realtà erano prove abbastanza evidenti, ma per amore li catalogavo sotto la voce "indizi". Non si erano mai incontrati, ma probabilmente Lei considerava così grave la situazione che si era attivata per contattarli.

C'era anche Paolo, il capo clown, il fondatore dell'associazione e senza dubbio il più radicale dei Giullari di Cristo. Impiegato statale, la maggior parte del suo tempo la dedicava all'associazione, tanto da sacrificare la carriera professionale – o almeno così amava ripetere. La sua era un'ottusa volontà di fare il clown per bambini malati e la perseguiva con una severità inquietante. Arrivò ad allontanare più di una persona, in pratica tutti quelli che avevano qualcosa da ridire. Era conosciuto come Dottor Rima e i bambini lo adoravano perché inanellava rime infantili tipo amare/sognare, ma lui si sentiva Leopardi. Era insomma una di quelle persone che da una parte stimi per quello che fa, dall'altra non ci andresti in vacanza neanche con una pistola puntata alla tempia.

Indossati parrucca e naso e truccati come si confà, ci mettemmo in cerchio insieme agli altri volontari e iniziammo a pregare. Quanto potevamo essere credibili visti da fuori? Ad ogni modo, concludemmo con la preghiera del clown che Totò recita nel *Più comico spettacolo del mondo*: "Se le mie buffonate servono ad alleviare le loro pene, rendi pure questa mia faccia ancora più ridicola". Tutto bello, toccante, romantico quasi. Peccato che Paolo decise che era il caso di presentarmi a tutti: "Per finire oh Signore" disse il Dottor Rima con un'espressione tra il compatimento e la misericordia "ti parliam del campione. A volte la sua conversione crea tanta confusione. Ma con il nostro aiuto e il tuo amore vincerà con fragore. Diciam ciao ad Arturo, il clown del futuro!". Seguì l'applauso, e solo per la presenza di tutti quegli innocenti non mi trasformai in un killer di clown. Terminate le preghiere, avrei voluto sfogarmi con Emanuele e Francesco. Come faceva il Dottor Rima a sapere della mia conversione? E, prima ancora, come facevano a saperlo loro, visto che io non gliene avevo parlato? Ma fummo trascinati nella sala dei regali per i piccoli pazienti.

"Tieni bel bambino che Gesù ti è vicino... ma porca miseria, una cosa così delicata spiattellata davanti a tutti in questo modo?".

Emanuele e Francesco: "Prendi il pacco in allegria che Gesù è una magia... ma non è stato spiattellato, ne abbiamo parlato mentre pregavamo".

"Ma porca di una vacca, io non ne ho ancora parlato con voi, figurarsi se voglio parlarne con il Dottor Rima... vieni bel bambino, che Gesù è il tuo vicino!".

"Guarda che lui è una persona profonda, ti aiuterà a superare le difficoltà... l'amore di Gesù, arriva fin quaggiù!".

"Ma vi sembrano il modo e la maniera per parlarne?!... prega il buon Gesù che l'umore ti va su... minchia, ma poi 'la sua conversione crea tanta confusione', ma chi ti conosce? Ma che vuoi da me!".

"Arturo, ne parliamo meglio appena abbiamo finito, eh?".

Dopo aver completato il giro dei reparti, ci ritrovammo in bagno, e mentre ci struccavamo riprendemmo il discorso: "Ma poi spiegatemi, perché avrei fatto confusione?".

Francesco, mentre si ripuliva le labbra come neanche un trans a fine giornata lavorativa, rispose: "Arturo, la fede deve essere un elemento di speranza, di unione. Il tuo gesto, invece, è divisivo. Non è per giudicarti, solo per aiutarti... sei nostro amico".

"Scusate" dissi strappandomi la parrucca riccia "ma ditemi dove sbaglio. Ho deciso di aiutare il prossimo come se lo conoscessi. Come se fosse un fratello! Sarà sbagliato?".

"È demagogia!" esordì nella discussione Paolo, spuntando nel riflesso dello specchio: "Non è fede, questa! È fanatismo, è cristianesimo allo sbaraglio. Fai del bene al prossimo, ma del male a chi ti sta accanto! Il tuo alla fine è un ricatto morale, per far sentire tutti in colpa. Il bene va calibrato. Il mio non è un giudizio, ma una critica costruttiva. Prendila come tale. Da uno che forse ne sa più di te".

All'improvviso ebbi tutto chiaro. Stavo parlando con persone che facevano i conti con la propria fede da una vita e le avevano dato mille significati, ma nessuno la concepiva così come io avevo sempre pensato fosse da intendere, motivo per cui mi aveva sempre atterrito e allontanato. Perché essere cattolico è difficilissimo. Amare il prossimo senza voler nulla in cambio è difficilissimo. Perché noi, in fondo, vogliamo che i nostri gesti buoni abbiano una ricompensa. Decisi di dar voce ai miei pensieri. Non fui molto delicato, ma ero imbestialito: "Fanatismo cattolico? Da quando applicare la parola del Signore vuol dire essere fanatici? Essere cristiani come la pensate voi è facile, è troppo facile!". Guardai Paolo: "Sostituire le insoddisfazioni professionali con un'associazione di volontariato non è cristiano". Guardai Emanuele: "Fare volontariato nella speranza che Dio si commuova e ci faccia trovare moglie non è cristiano!". E infine guardai Francesco: "Fare volontariato con la speranza che si riesca a concepire un figlio non è cristiano! Non si fa del bene con la speranza di essere premiati. Si fa del bene e si accetta tutto quello che il Signore ci dà. Questo vuol dire essere cristiani! Difficile, vero?".

Rimasero tutti e tre a fissarmi sbalorditi. E appena notai un accenno di reazione da parte di Paolo, lo fermai subito: "Ma, attenzione, io non vi sto giudicando. È solo una critica costruttiva!". E me ne andai prima che avessero il tempo di replicare, come sempre la regola delle liti tra automobilisti impone. Mi obbligai a uscire a lunghe falcate, ma le scarpe da clown che mi ero dimenticato di togliere mi costrinsero a un'andatura poco aggressiva. Una volta fuori, provai l'impulso di distruggere i banchetti dell'associazione davanti all'ospedale, ma non volevo montarmi la testa.

Mi rifugiai nella prima pasticceria disponibile e, per darmi una calmata, chiesi tre sciù con la ricotta. Non ero fiero del modo in cui mi ero rivolto a Emanuele e Francesco – a Paolo forse sì! – però loro erano stati altrettanto irritanti. Ma che si tratta così una persona che sta vivendo quello che si presume io stessi vivendo? E se la mia fosse stata una conversione vera? Anche Lei, che bisogno c'era di raccontarlo in giro? Ma poi perché irritarsi così tanto per quello che facevo? Prima di applicare la parola del Signore, ispirandomi tra l'altro a un libro delle elementari, la mia vita filava molto più tranquilla. Nessuno dei cristiani che frequentavo si irritava con me, prima.

Avrei affrontato anche Lei, ma nel tragitto mi scrisse che la telefonata del padre era arrivata: ci invitava a cena quella sera stessa. Come se non bastasse, aggiungeva che forse non sarebbe riuscita ad arrivare puntuale. Significava che avrei passato la prima parte della cena solo con i suoi genitori. Tentai una via di fuga, ma nel messaggio seguente mi fece capire che la "chiamata" del padre era una cosa seria.

Era una chiamata alle armi in tempo di guerra. Comprai una bottiglia di vino senza guardare la marca ma direttamente il prezzo, mi levai le scarpe da clown che avrebbero potuto confondere e mi ritrovai davanti alla porta con qualche minuto di anticipo. Bussai e attesi il plotone di esecuzione. Mi ricevette lui, da solo. C'era qualcosa che non andava: stava sorridendo.

Ci accomodammo in salotto e lui andò subito al sodo: "Ormai è da un po' di tempo che frequenta mia figlia, sembra che vi vogliate molto bene. La vedo felice, anche se l'apertura della nuova pasticceria la sta provando. Del resto ha la testa dura di sua padre e ha voluto fare tutto da sola". Era compiaciuto, gli brillavano gli occhi. "Ho notato con piacere che anche lei ha la passione dei dolci. Sa, per noi sono importanti, per la storia della nostra famiglia. Da quando mio padre aprì la prima pasticceria. Cominciò con una bancarella. Abbiamo costruito tutto sulla qualità delle materie prime, ci abbiamo messo passione, e lavoro, tanto lavoro".

Misi subito le mani avanti: "Guardi, glielo dico subito, non ho nessuna mira sulla pasticceria di sua figlia. Al massimo le scroccherò molti sciù alla ricotta, degli iris, dei cannoli...".

Il padre non fece una piega: "No, non ho alcuna preoccupazione al riguardo. Per tradizione i parenti acquisiti non possono diventare proprietari delle nostre pasticcerie. Al massimo dipendenti".

Dove vuole arrivare? mi chiesi. Come era possibile che suo fratello non avesse fatto quella telefonata, non lo avesse messo in guardia?

Ero già abbastanza confuso, quando lui mi confuse ancora di più. Dal tavolino che ci separava prese un pacco, che prima non avevo notato. "Vede" disse "se io non avessi fatto il pasticciere, mi sarei occupato di altro. Di una cosa fondamentale per l'uomo, subito dopo il cibo". E mi guardò come se dovessi saperlo. Pensai al sesso, ma qualcosa mi diceva che non era la risposta giusta. Non lo facevo così moderno. Non scorgendo reazioni da parte mia, proseguì: "Le scarpe! Ecco, io avrei aperto un negozio di scarpe, ma scarpe fatte bene. Avendo la stessa cura che ho per fare una sfinge di san Giuseppe. Perché le scarpe sono importanti. Hanno cambiato le abitudini dell'uomo. Lei lo sa a quale anno risalgono le prime tracce dell'utilizzo delle scarpe?".

Appena entrato, tutto pensavo tranne che di cadere su una cosa così!

Cercai di rimanere sul generico: "Tanti anni fa?".

Non bastò: "Ma mi dica quanti. Quantifichi!".

"Be', molti anni!".
"Ma mi dica una data!". Era una di quelle situazioni in cui ci si consola dicendo che non durerà per sempre, che arriverà il momento in cui ci infileremo a letto e tutto questo sarà solo un brutto ricordo da raccontare. "Dica! Dica!".
Feci un rapido calcolo: di solito Gesù è raffigurato con delle calzature, anche se a pensarci bene non ho mai notato di che tipo. Gli antichi romani si proteggevano i piedi. Gli antichi egizi avevano le scarpe? Fecero le piramidi, avranno avuto anche le scarpe. Sparai: "5000 avanti Cristo".
Sbagliato!
"No, caro mio! Molto prima...".
Per troncare l'interrogazione, mi arresi subito: "Guardi, proprio non lo so quando l'uomo ha incominciato a usare le scarpe, non me lo sono mai chiesto, confesso. Me lo dica lei!".
Felice della resa, rispose trionfante: "9000 avanti Cristo!".
Cercai di entusiasmarmi alla notizia: "Ah, addirittura, chi lo avrebbe mai detto".
Lui continuò: "Ma attenzione, queste sono le tracce giunte fino a noi! Chissà quando le hanno utilizzate realmente per la prima volta".
"E chi lo sa?".
"Tutti. Tutti indossano un paio di scarpe, dal poveraccio a Napoleone. Capisce l'importanza delle scarpe nella storia dell'umanità?".
Continuai con lo stupore: "È proprio vero, incredibile, non ci avevo mai pensato!".
Non mi ascoltò neanche: "Non sono riuscito ad aprire un negozio di scarpe, ma la passione è rimasta".
Cominciai a guardare la scatola che teneva fra le mani, forse così l'avrebbe piantata con quel discorso.
"Ma lei si starà chiedendo cosa ci sia qui dentro!".
Risposi con vigore: "Sì, è da un po' in effetti che me lo sto chiedendo".

Con lenti e ampi gesti sollevò il coperchio: un paio di scarpe di cuoio rigido, lavorate. E me le porse.

"Grazie... sono senza parole. Non era il caso!".

Mi guardò come a dirmi: "Dovere, dovere!".

E grazie al cielo, in quel momento si aprì la porta alle nostre spalle ed entrò Lei.

"Ti ha regalato un paio di scarpe!" ribadì Lei quando rientrammo a casa.

Le mostrai il pacco e cercai di aprirlo con la stessa solennità del padre.

Lei non faceva altro che ripetere: "Ti ha regalato le scarpe? Non ci posso credere, ti ha regalato le scarpe!".

A quanto pare, scoprii una volta che si fu calmata, il regalo delle scarpe era un rito di passaggio che si compiva solo dopo un lungo periodo di osservazione e, antropologicamente, veniva considerato come il permesso di entrare nella tribù da parte del capotribù.

Come mai questo consenso fosse stato accordato così presto, e perché non ero stato penalizzato dalla telefonata dello zio, lo scoprimmo grazie alla moglie del capotribù, chiamata prontamente da Lei. Sempre antropologicamente, si sa che le verità di famiglia scorrono più velocemente da madre in figlia.

Il mio gesto di bontà nel paesino terremotato aveva avuto un'eco di chilometri, fino ad arrivare allo zio, il quale odorò l'aria e, invece di prendere le distanze come aveva preventivato, si vantò di conoscermi e diffuse la voce che probabilmente sarei diventato un suo parente. Appena ne aveva occasione, ricordava il forte rapporto che si era già creato tra il futuro zio con i futuri nipotini. Per non andare contro la volontà popolare, arrivò a dire che Angelo era il mio secondo nome e che mi ero presentato solo come Arturo per umiltà.

L'entusiasmo era stato tale che, complice l'anzianità, il

padre di Lei aveva anticipato i tempi e aveva deciso di procedere con quello che per lui era un gesto importante, vale a dire il dono del paio di scarpe. Come fosse venuto a sapere il numero che calzavo, rimase un mistero.

Andammo a letto stupiti e meravigliati. Io assolutamente tronfio: "Vedi che far bene fa bene? Quante ricadute inaspettate ci sono!".

Lei fu costretta a deporre le armi, almeno quella sera: "Ma non mi hai mai raccontato cosa è successo quando sei tornato in paese a recuperare l'auto. Da quelle parti si parla di te come del Salvatore".

Risposi con una arrogantissima umiltà: "Ho amato il prossimo come me stesso!".

"Addirittura? Senti Salvatore, quando puoi ti ricordi di cambiare la lampadina del ripostiglio, che è fulminata da circa tre mesi? Eh, mi fai questo miracolo?".

"Niente, non concedi un minimo di soddisfazione tu!".

Ma Lei si girò, mi baciò e ci addormentammo abbracciati.

16.

La consegna delle scarpe aveva anche un altro significato: ero pienamente legittimato a rappresentare l'intera famiglia alla cena del club dei ricchi e belli – anche se nel ruolo del "di lei marito". Non me lo ero conquistato per il solo fatto di essere il suo fidanzato. Il padre sarebbe venuto, ma avendo abdicato in favore della figlia, che così avrebbe guadagnato il ruolo di consigliere, non sarebbe entrato nella stanza dei bottoni del club. La notizia del regalo delle scarpe si era rapidamente diffusa tra i soci e sarei stato additato come il prescelto. In quanto tale, avrebbero esaminato e scandagliato qualunque mia parola e qualunque mio gesto.

Decisi di andare in pasticceria e comunicarle che avrei dato forfait. Non sarei riuscito ad affrontare una situazione simile. Sul lavoro era sempre indaffarata, contavo di dirle al volo il mio piano e poi, sfruttando l'effetto sorpresa, svignarmela. Pensai anche di farglielo riferire da Carlo, il cameriere, mentre io guadagnavo la fuga, ma forse non sarebbe stato molto corretto.

Lei però non mi fece neanche cominciare, perché appena entrai in pasticceria rilanciò con un altro piano: "Ti ho organizzato un incontro con don Marco, un frate cinquantenne che vive la fede come piace a te. Ha frequentato la mia famiglia per un periodo, poi è partito per l'Africa. Gestisce alcune comunità. Adesso è in Italia per qualche mese. Io ho molta stima di lui e fra noi, negli anni, è nata una bella amicizia... per scherzare gli ho sempre detto che, se non si fosse fatto frate, mi ci sarei fidanzata volentieri. Ma forse è stato più utile all'umanità così".

Mancava una settimana alla fine della mia conversione e si tentava con un'altra tipologia di prete, come quando le provano tutte per farti smettere di fumare. L'ipnosi non ha funzionato, tentiamo con la sigaretta elettronica.

Avrei voluto farle notare che mi stava trattando come un malato o un tossicodipendente, ma essendo innamorato e in fondo anche un po' adorante, misi da parte la polemica e acconsentii a incontrare anche don Marco, colui che mi avrebbe guarito da questa patologia che si chiama cristianesimo.

Lei mi preparò come una mamma con il figlio la mattina in cui va a scuola da solo per la prima volta. Mi aggiustò il colletto della camicia, si assicurò che conoscessi la strada, mi spiegò come introdurre al meglio il motivo della mia visita. E proprio come una madre apprensiva mi aspettò sveglia fino a quando non rientrai. Evidentemente contava molto su don Marco, doveva essere il suo asso nella manica da giocare prima della cena al club dei ricchi e belli.

Tornato a casa, con tatto e delicatezza, la feci sedere sul divano e le parlai del mio incontro.

Lei, con trepidazione: "Allora, raccontami tutto. Figo lui, no?".

Io cercai di essere vellutato: "Figo, avevi ragione. Abbiamo parlato a lungo, è un uomo davvero capace di stare in ascolto... ti mette molto a tuo agio e ti spinge ad aprirti senza riserve".

Il viso di Lei esprimeva tutti i sentimenti sbagliati: speranza, soddisfazione, felicità.

"Ma cosa ti ha detto?".

Sospirai: "Be', prima gli ho parlato un po' di noi due. Di

come ci siamo conosciuti, dei nostri caratteri, dei nostri lavori...". Cercavo di prenderla alla larga, ma Lei non ci cascava.

"E quindi che ti ha detto?".

Un sospiro più profondo: "Ecco, gli ho parlato, diciamo, nel nostro piccolo conflitto. Della mia scelta. Il fatto che tu apprezzi il contenuto, un po' meno la modalità".

E Lei, con un'ombra di sospetto nella voce: "Ti prego, Arturo, non la fare così lunga. Cosa ti ha consigliato?".

"Mi ha fatto un discorso interessante. Semplice, ma significativo. È partito da una figura che finora non avevo mai preso in considerazione. Cioè, lui sostiene l'importanza di colui che va oltre, che esce da ogni tipo di omologazione. Un battitore libero. Colui che apre la strada agli altri, anche a quelli che magari hanno passato il tempo a criticarlo. Sta proprio qui la grandezza di colui che va oltre, i suoi sacrifici di vita porteranno giovamento anche a chi ha criticato lui e le sue opere. Poi mi ha fatto tre esempi di persone che hanno fatto questa scelta. Il più attuale è Papa Francesco. 'Quanta ostruzione sta trovando davanti alla sua strada!', ha detto. Eppure ci sta solo invitando ad avvicinare la nostra vita quotidiana alla parola di Gesù".

Se don Marco voleva placare il mio nuovo catto-entusiasmo, come pensava di farlo partendo da quel modello? Questo era più o meno quello che Lei stava pensando in quel momento.

"Un'altra figura esemplare" continuai "che sconfisse l'ostruzionismo della sua stessa famiglia è san Francesco. Ma immagina se si fosse adeguato al modo di pensare e di vivere del suo tempo! Immagina cosa avrebbe perso il mondo, l'umanità intera. Ha avuto il coraggio di seguire la sua idea, il suo istinto, tanto da non ascoltare il consiglio del Papa, quando gli propose di entrare in un ordine di frati già esistente".

L'idea di mandarmi da don Marco era stata pessima, ecco cosa stava pensando ora.

"E per finire, ovviamente, si è parlato di Gesù. Quante difficoltà ha trovato nella sua strada in nome della verità, in nome di Dio. Voglio dire, è morto crocifisso!".

Lei, abbattuta, tentò di riportare il discorso su di noi, non sapendo che il peggio doveva ancora arrivare: "Sì, ma avrà parlato di te, di quello che stai vivendo. Di quello che stiamo vivendo!".

"Sì, certo, ho raccontato tutto, tra l'altro mi sembrava che un po' già sapesse da te".

"E cosa ti ha detto?".

"Di andare avanti, perché questa è la strada che tutti dovremmo intraprendere".

Si accasciò sul divano: "Sei diventato persino un modello da seguire?".

"Ora non esageriamo" e alzai i palmi delle mani in modo plateale, a respingere umilmente quella tentazione. "Mi ha però ammonito di stare attento a non farti soffrire. E l'unico modo è cercare di coinvolgerti. Anche se è inevitabile trovare qualche resistenza perfino in chi ci vuole bene. Ma se non fosse così, vorrebbe dire che non stiamo andando oltre".

Prese a fissare il televisore, ma era spento. Mi avvicinai per darle un bacio – un termometro per capire il suo stato d'animo. Più lo avrebbe assecondato, più voleva dire che non ce l'aveva con me. E lei non si ritrasse. Ma non era finita, dovevo dirle un'altra cosa, adesso o mai più. Bisognava andare oltre.

"Poi mi ha chiesto un favore" dissi. "*Ci* ha chiesto un favore". Si voltò lentamente a guardarmi. "Se possiamo ospitare Omar per un mese".

"E chi è adesso questo Omar?" disse con un filo di voce.

"È un ragazzo africano, del Senegal, al momento vive in una struttura d'accoglienza. Ha alle spalle una storia drammatica, luttuosa, e un carattere molto sensibile, molto timido. Soffre troppo a stare lì dentro. Don Marco ha ottenuto il permesso di farlo ospitare da una famiglia fidata per un mese, fino a quando non verrà regolarizzata la sua posizione. Ma è un bravo ragazzo, l'ho conosciuto".

Il flusso degli eventi la stava trascinando con sé. "Mica lo avrai portato fin qui?".

La guardai imbarazzato: "In realtà sta aspettando di sotto, al bar. Ma se non vuoi lo riporto da don Marco, non è un problema. Io a Omar non ho detto niente. Solo che facevamo un giro".

Era sull'orlo delle lacrime. "Ma dove lo mettiamo, Arturo? Ma poi ci possiamo fidare? E chi lo segue in questi giorni? Cosa farà tutto il tempo? Io lavoro, tu pure".

"Ci possiamo fidare perché don Marco ha dato la sua parola, per il resto non ti preoccupare, penso a tutto io!".

Estrasse il cellulare e corse in camera. La sentii gridare il nome di don Marco e poi la porta che si chiudeva di colpo. Non so cosa si dissero, ma sta di fatto che si convinse. Risalii a casa con Omar. Lei fu gentile, anche se un po' formale, e se ne andò al lavoro, dopo avermi dato alcune istruzioni pratiche.

Di per sé non era un grosso peso ospitare un rifugiato, ma a complicare tutto c'era il fatto che Omar conosceva poco l'italiano. Lo invitammo più volte a raccontarci la sua storia, ma fargli spiccicare una parola era impossibile. E poi lui era così timoroso: aveva paura di urtare le persone, al punto che non si muoveva se non gli davi un'indicazione precisa. Davanti a un piatto di pasta restava immobile, finché non gli dicevi che poteva mangiarlo, e quando tentai di trasformarlo in guardalinee per le nostre partite si rivelò inservibile. Se non gli ripetevo ogni volta che si doveva spostare durante l'incontro, per seguire il pallone, sarebbe rimasto impalato a centrocampo. E, cosa più grave, per evitare di offendere qualcuno non decideva mai a quale squadra andava il fallo laterale. Così le schermaglie tra giocatori si inasprivano, e io, che volevo fare da paciere, dicevo che bisognava avere un po' di pazienza, perché era un rifugiato traumatizzato, ma le mie parole cadevano nel vuoto.

Andare in giro con Omar significava attrarre l'attenzione. La gente non capiva cosa lo legasse a me e a Flora. Davamo l'idea di portarci a spasso un figlio un po' taciturno. Solo che era nostro coetaneo e di colore.

Dopo solo tre giorni eravamo distrutti. E naturalmente questo ebbe delle ripercussioni: se un tempo i litigi tra me e Lei iniziavano e finivano nella sua giornata libera, adesso bisticciavamo in ogni momento, anche a letto invece di fare "Bond, James Bond".

"Non ci si può improvvisare: per ospitare un rifugiato bisogna prepararsi, studiare. È una scienza, non basta il buon cuore. Rischiamo di far male a lui e a noi. È stata una pessima idea. Si vede che non è felice neanche lui".

"Ti stai sbagliando. Pensa alla vita in un centro per rifugiati. Ok, abbiamo qualche problema di comunicazione, ma almeno sta con gente che, anche se lo conosce poco, gli vuole bene".

"Ma è meglio se sta con chi ha la sua stessa storia, il suo vissuto".

"Ma si deve inserire nella società, se rimane in un centro è destinato al ghetto".

Omar era diventato un appuntamento fisso, l'oggetto delle nostre sempre più accese discussioni, simbolo delle nostre incomprensioni, un motivo per cui avremmo potuto stare con il muso lungo per molto. Fu dopo una litigata del genere che ne scoppiò un'altra ancora più esplosiva.

"Arturo! Arturo!!!". Lei mi stava chiamando come se avesse visto dei marziani che svaligiavano casa.

La raggiunsi di corsa: “Cosa è successo?”.

Fissava le scarpe del povero Omar, che forse in quel momento stava rimpiangendo il centro d’accoglienza. “Quelle” e allungò il braccio a indicarle “sono le scarpe di papà!”.

Tentai di negare: “No, ci assomigliano soltanto”.

“No no, quelle sono le scarpe di papà!” insisteva lei e indicava un sempre più preoccupato Omar, che ormai rimpiangeva direttamente il Senegal. “Tu gli hai dato le scarpe di papà! Ma hai capito il significato di queste scarpe? Il significato del gesto di mio padre? Tu ti rendi conto?”.

“Sì, è vero” ammisi “forse sono le scarpe di tuo padre, ma non l’ho fatto apposta. Sai, la lampadina dello sgabuzzino non…”.

“Ma cosa ti è venuto in mente?!”.

“Vabbe’, ho visto Omar con le scarpe sfardate e ho pensato di dargliene un paio nuove. Noi ne abbiamo uno stanzino pieno. Non mi sembrava un gesto così sbagliato”.

Omar seguiva il nostro dibattito come se osservasse una partita di tennis.

“Tu non hai capito il significato di ricevere un paio di scarpe da mio padre!”.

Mi ero dimenticato ancora una volta di cambiare la lampadina nello sgabuzzino e così, al buio, avevo afferrato le prime che mi erano capitate, ed ecco spiegato tutto. Ma dirglielo sarebbe stato inutile.

Mancavano due giorni alla cena al club e tre alla fine del mio “cristianesimo”. Fosse stato per Lei, non mi avrebbe più portato, ma la mia assenza sarebbe stata mal interpretata dai soci e dalla famiglia. O forse sarebbe stata interpretata nella maniera giusta. Sta di fatto che ormai eravamo costretti a ballare, anche se non ne avevamo più nessuna voglia.

17.

Era come se ci stessimo preparando a un G8. Per la cena al club, scelsi un vestito di un colore che esaltasse le scarpe del mio forse futuro suocero. Era il segnale all'alta società palermitana che un primo passo per entrare nel clan era stato fatto.

Poi ci ponemmo il problema di Omar. Lasciarlo a casa era troppo pericoloso. Se fosse scoppiato un incendio, lui non sarebbe fuggito finché qualcuno non glielo avesse detto. Come fosse riuscito ad arrivare fino in Libia e prendere un barcone per l'Italia, incolume, era un mistero. Valutammo di pagare un baby-sitter, e magari durante il corso della serata telefonare per accertarci che fosse tutto ok, ma alla fine optammo per portarcelo dietro. Lei non faceva salti di gioia ma, in fondo, un po' ci si era affezionata. Buttammo giù un piano, minuto per minuto. Dopo aver ipotizzato varie coperture sull'identità di Omar – dal professore di un'università africana all'artista di arte contemporanea – per poi ammettere che lo avrebbero sgamato in sei secondi netti, decidemmo di presentarlo subito per quello che era veramente. Ma, come ripeté Lei per tutto il tragitto fino al club, solo se ce lo chiedono: "Non dobbiamo vantarci del nostro gesto". Nonostante ciò, non mi sentivo granché preoccupato. Se uno dei soci avesse capito che il Gesù blasfemo della Via Crucis ero io, be', allora sì che sarebbero stati guai.

L'inizio non fu dei migliori. Mentre ci intrattenevamo con i soci nella hall, gli ospiti entrati dopo di noi iniziarono a consegnare i soprabiti e i caschi a Omar, che li prendeva senza, al solito, proferire parola. A quanto pare il vestito blu di lino che gli avevamo comprato con le luci del club tendeva al nero cameriere. Quando mi voltai feci fatica a riconoscerlo, sembrava un albero di natale di un negozio fighetto del centro. Ci spostammo il più rapidamente possibile: in salone, con un calice di vino in mano, non avrebbero più scambiato Omar per un cameriere, e noi ci concentrammo sulle nostre pubbliche relazioni. Nel mio caso ciò si tradusse nel continuo tentativo di portare l'argomento di conversazione verso le mie scarpe: "Che bel pavimento, ma che materiale è?"; "Devono usare un detersivo particolarmente efficace per i pavimenti!"; "Oh, mi scusi, le ho pestato il piede?". Dopo un po' ebbi l'impressione che la mia strategia stesse avendo successo, perché mi sentii esaminato e analizzato da tutti i soci in ogni mio movimento. Il solito effetto animale esotico, inizi Novecento.

A questo punto della serata mi sarebbe bastato stare zitto e annuire: perché rovinare ogni cosa all'ultimo?

Dopo un aperitivo di benvenuto, ebbe inizio la riunione per stabilire come spendere i soldi raccolti durante le cene di beneficenza. Era un momento fondamentale per le invidie sociali della città: a entrare nella stanza della riunione erano solo gli storici fondatori del club o la loro discendenza con i rispettivi partner. Perfino Tommaso, che mi era sembrato distaccato da queste dinamiche, mi guardò con una leggerissima invidia. A presiedere la riunione fu il nuovo presidente del club, il dottor Ruffaro. Il nome non mi diceva nulla, ma la faccia sì. Una lista, distribuita a tutti i partecipanti, esponeva i progetti che ambivano a essere sostenuti e che, guarda caso, vertevano unicamente intorno alla chiesa vicino al club, il cui parroco, in questo caso don Vitrano, per tradizione diventava socio onorario. Recinzione del giardino della chiesa, rifacimento dell'impianto acustico, erba sintetica per il campetto di calcio: ecco i progetti in ballo. Il presidente aprì la discussione che poi si sarebbe conclusa in una votazione.

Io promisi a me stesso che non sarei intervenuto. Feci solo notare, al socio seduto accanto a me, che il presidente della riunione si era dimenticato l'ultima voce in discussione, la ristrutturazione delle casette dietro la parrocchia per ospitare dieci migranti. Il socio mi rispose sussurrandomi all'orecchio: "Futtitinni, lascia perdere!". Gli ribadii che questo punto era all'ordine del giorno e non era certo trascurabile. Al presidente, attirato dalla mia discussione con il vicino e con la lista delle proposte in mano, non sembrò vero di tirarmi in mezzo visto che per motivi di gossip ero al centro dell'attenzione di tutti. Non era previsto che il consorte esprimesse la propria opinione, ma era anche una scusa per sentirmi parlare. Non dimenticherò mai il volto di Lei mentre si gira lentamente a guardarmi, gli occhi che supplicavano di evitare un'altra messinscena.

Credo di poter dire, senza ombra di alcun dubbio, che fu questo il momento esatto dell'inizio della fine.

"No, constatavo che si è dimenticato di elencare l'ultimo punto all'ordine del giorno, la ristrutturazione delle casette per ospitare i migranti".

Il presidente scorse lista: "Ah, sì, è vero. Ma non è rilevante". Un brusio si diffuse nella stanza.

"A me sembra una bella iniziativa. Anzi, se ci fosse il parroco per illustrarci il progetto..." aggiunsi.

Cercammo don Vitrano in sala, senza trovarlo. Allora intervenne il segretario del club: "No, il parroco è con la marchesa a giocare a burraco".

Il presidente: "Hanno appena cominciato, non mi sembra il caso di disturbarli".

Allora mi impuntai, per la gioia di Lei: "Insisto. Mi sembra un progetto interessante, sarebbe un peccato non metterlo ai voti".

La fase della curiosità stava scemando, adesso davo solo fastidio.

"Ne abbiamo discusso nei giorni scorsi" continuò il presidente. "Alla fine, la maggioranza dei consiglieri del club ha pensato di escludere il quarto punto per una questione di opportunità. Riteniamo che stimolare il flusso migratorio con strutture di accoglienza, per di più con una minima incisione sul fenomeno, sia controproducente soprattutto per queste persone che tentano i viaggi della speranza. Le illudiamo facendo credere che il nostro paese sia in grado di ospitarle e inoltre alimentiamo le organizzazioni criminali, spesso in combutta con le Ong, che gestiscono questi viaggi. Non possiamo accoglierli tutti. Dobbiamo aiutarli a casa loro".

Ribattei: "Bisogna aiutarli a casa loro e nel frattempo, nell'attesa che il nostro aiuto abbia qualche effetto, cosa facciamo con questi che arrivano?".

"Li rimandiamo indietro. Non siamo pronti a un'invasione di migranti".

"Noi italiani siamo sessanta milioni. Anche se arrivasse un milione di migranti, non potremmo parlare di invasione!".

"Senta, ma allora, se è così generoso, perché non se li prende lei a casa sua?".

Era quello che aspettavo: "Già fatto, caro mio. E ve lo mostrerei se non fosse diventato un attaccapanni umano! Il punto è che la recinzione della chiesa o l'impianto acustico o il campetto da calcio non possono avere la precedenza sull'aiuto a persone in difficoltà. Il Papa l'altro giorno ha detto che Cristo è per l'accoglienza".

"Questo Papa la fa facile, ma una cosa è fare il Papa e un'altra è assumersi la responsabilità di gestire questa situazione. Un politico non è un prete".

Mi alzai, puntandogli il dito contro: "Eh no! È troppo facile uscirsene in questo modo. Il Papa, eletto con l'approvazione divina, dice che Dio è per l'accoglienza. Dio che lo dice al Papa. C'è un solo grado di separazione tra Dio e il Papa. Non è che al Papa glielo ha detto la cugina della sorella del vicino di Dio! E non ci sono messaggi da Dio personalizzati per ogni singola categoria della società. Perché Dio parla a tutti: bianchi, neri, alti, bassi, grassi, magri. C'è una sola parola di Dio, ed è per tutti. E non è né personalizzabile, né interpretabile come ci è più comodo. Se non siete in grado di sostenere la parola di Dio e avete smesso di provarci, allora piantatela di dichiararvi cristiani. Cristo è morto per la sua fede, e così i suoi discepoli!".

Il presidente del club, apparentemente a nome della maggioranza: "Senta, non venga a farci lezioni di cristianità. È grazie al vostro buonismo che siamo arrivati dove siamo arrivati, con tutti i problemi che dobbiamo affrontare grazie ai delinquenti stranieri".

"Certo che ci sono problemi, ci sono perché abbiamo a che fare con esseri umani, con tutte le implicazioni che questo comporta. L'unico modo per non avere problemi è guardare dall'altra parte. O al massimo guardare solo chi è come noi. Siete liberissimi di farlo ma, ve lo ripeto, allora smettete di dichiararvi cristiani. Credere in Cristo è facile, bastano le parole, essere cristiani è difficilissimo e voi ne siete la prova".

A queste parole, il presidente guardò Flora scandalizzato, sospese la seduta e invitò tutti ad accomodarsi per la cena, rimandando la votazione alla tarda serata. Io avevo troppa adrenalina in corpo per pensare di sedermi a tavola e mangiare; e restai lì, in piedi, fino a quando non rimasi solo in sala. L'ultima ad andarsene fu Lei. Non mi disse niente solo perché ci trovavamo in una situazione pubblica, si limitò a lanciarmi occhiate dure, durissime.

Forse quest'ultima provocazione mi era po' sfuggita di mano? Non è che stavo iniziando a credere davvero? Ma l'amore per Lei dov'era andato a finire se la facevo soffrire così tanto? Era iniziato tutto per Lei, e adesso era tutto contro di Lei.

L'unica cosa che potevo fare era andarmene stando bene attento a non incontrare nessuno che conoscessi, e men che meno il padre di Lei. Recuperai Omar, che intanto aveva cominciato a ritirare i piatti sporchi dai tavoli, e cercammo Flora. Ero passato da attraente animale esotico del Novecento a Parigi, ad appestato del 1629 a Milano. Quando passavamo noi, si apriva la folla. La trovai in un angolo vicino a una portafinestra, pensierosa: "Io vado via con Omar. Ci vediamo a casa. Ti lascio l'auto". Lei si limitò a un semplice e neutro "sì" e a me mancò il coraggio di baciarla per capire il suo indice di incazzatura.

Omar e io ci incamminammo verso casa, ma alla prima pasticceria mi fermai per tre sciù alla ricotta. Seduto al tavolino di un bar con Omar, quindi praticamente da solo, riflettei sul da farsi. Avevo oltrepassato il limite e ne ero conscio. A questo punto tornare indietro era molto difficile. Eppure, come sarei riuscito a vivere senza di Lei?

Allora feci la cosa più insensata che mi potesse venire in testa. Chiesi consiglio a Omar: "Omar, che devo fare? Mollo tutto o vado avanti?".

La risposta di Omar fu netta e senza tentennamenti. Prese il menu del bar e disse: "Ice cream, chocolate ice cream!".

Aspettai che terminasse il gelato e rincasammo senza una risposta precisa, sapendo che Lei già questa sera, probabilmente, ne avrebbe preteso una. L'aspettai sul divano, immaginando di farne il mio letto per la notte.

Un'ora dopo, mezzo addormentato, sentii il rumore delle chiavi.

18.

Era passata la mezzanotte, quindi adesso mancava ufficialmente un solo giorno alla fine della mia conversione, ma la situazione era precipitata. Stravaccato sul divano, ripensai alle parole di mio padre e alla strategia dell'opossum della Virginia. E a Darwin e alla teoria dell'evoluzione: sopravvive chi si adatta, non chi è più forte.

Io, purtroppo, avevo cercato di essere il più forte.

Lei chiuse la porta e si avvicinò, posò la borsetta, ma non si tolse il soprabito.

"Credo che tu questa sera abbia preso una decisione" disse in tono calmo, anticipandomi.

"Quale decisione avrei preso?".

Lei, passando alle urla: "Tu stai trovando una scusa per lasciarmi e lo stai facendo nella maniera più dolorosa e cattiva, stai cercando di farmi male, il più possibile. E non capisco perché! Perché lo stai facendo a me! Stavamo benissimo insieme, potevamo avere una vita meravigliosa, con dei figli meravigliosi, una grande famiglia meravigliosa! E tu stai rovinando ogni cosa con questa storia che sono tutti peccatori! Ma perché non mi dici che mi vuoi lasciare e la finiamo qui?! Perché vuoi mettere in mezzo anche la mia famiglia? Se ti fa schifo il mio mondo non entrarci!". Poi inspirò profondamente e aggiunse: "Io non ti voglio più vedere, ti prego quindi di sparire domani mattina!", e se ne andò in camera, sbattendo la porta.

Sì, avevo superato il limite. E la domanda che mi continuavo a fare era sempre la stessa: come avevo potuto arrivare a tanto, perché non riuscivo a fermarmi? Proprio io che fino a ieri ero uno che aveva come missione nella vita lo schivare ogni responsabilità, uno che non ha mai saputo cosa vuole e rompe le palle al prossimo, come mi ricordava sempre Lisa, la mia ex ragazza kosovara. Eppure questa volta mi ero impegnato, avevo realmente intenzione di stare con Lei! Ma forse no, forse aveva ragione Flora, forse inconsciamente la volevo lasciare e mi ero creato un pretesto... che tutto questo non fosse davvero un altro modo per schivare la responsabilità senza far vedere che volevo schivare la responsabilità? Eppure l'incipit del ragionamento di Flora era lo stesso di quello di Lisa: "Potevamo avere una famiglia splendida!". Non tornavano i conti, però, era un ragionamento troppo complesso per la mia indole.

Mi addormentai, mi viene sempre sonno quando litigo con la mia fidanzata. Fui svegliato timidamente da Omar dopo qualche ora. Aveva lo zaino in spalla: "Omar, ma dove stai andando?".

Lui racimolò le poche parole che sapeva: "Io andare... campo rifugiati".

"Ma come campo dei rifugiati, Omar, questa è casa tua!".

"No, no, qui stress. Troppo, troppo. Lì calmo. Qui stress. Io stare bene campo".

"È solo un periodo difficile, ma vedi che tutto si sistema".

"No, no. Io felice campo", e mi strinse la mano. L'unica volta che era stato in grado di esprimere un concetto, lo aveva fatto per congedarsi. Mi vestii velocemente e lo accompagnai in auto fino al centro accoglienza: durante il tragitto cercai di fargli cambiare idea, ma forse anche lui conosceva la strategia dell'opossum della Virginia e rimase incollato al finestrino senza mai guardarmi in faccia.

"Buona fortuna, fratello!" mi salutò scendendo dall'auto. "Prossima volta... religione musulmana. Prova, prova!". E se ne andò.

Vagai per la città in attesa dell'apertura di un bar. I cornettai aperti tutta la notte hanno ormai perso la qualità che caratterizzava all'inizio il fenomeno dei cornettai aperti tutta la notte. Non lasciano più all'impasto il tempo di lievitare: anziché scongelarli il giorno precedente, li tolgono dai freezer poco prima di metterli in forno. Così finiscono di lievitare nelle nostre pance. E poi la crema non va aggiunta dopo averli sfornati, ma prima. Così è più amalgamata al resto del cornetto.

Mi piazzai con l'auto davanti al bar che sapevo rispettare il giusto procedimento, nell'attesa che aprisse. Stalking al cornetto lievitato. Nel frattempo cercai di indovinare se fosse il caso di cercarmi un nuovo posto dove stare o se Lei al risveglio si sarebbe calmata. Ragionai così tanto che mi addormentai. Quando riaprii gli occhi il bar era aperto da una ventina di minuti e dentro c'erano già alcuni clienti – lavoratori che avevano appena finito il turno di notte o che stavano per cominciarlo, e mondani di ritorno dalla serata. Avevo una gran fame: la sera prima, al netto degli sciù, non avevo cenato. Sulla soglia incrociai Tommaso, sembrava felice, e portava un vassoio con spremute e cornetti caldi con la crema inserita prima di metterli in forno. Quando si accorse di me cambiò espressione. Ammisi subito le mie colpe: "Lo so, ho sbagliato, Tommaso... cioè, il messaggio era giusto ma ammetto che forse erano esagerati i toni. Devo dire che il presidente... come si chiama?".

Mi suggerì come il professore con l'alunno impreparato: "Il dottor Ruffaro".

"Il dottor Ruffaro, che tra l'altro credo di aver visto da qualche parte, ecco, lui non è stato molto carino. Però capisco che tutto è partito da me".

Tommaso mi ascoltava, imbarazzato, e pensai che la situazione al club era davvero irrecuperabile, ma poi l'imbarazzo diventò impazienza. Guardava in continuazione oltre le mie spalle.

"Ah, scusami, sto facendo aspettare Silvana". Mi voltai per salutare la moglie di Tommaso, ma dietro di me c'era una persona che in comune con lei aveva il fatto di essere una donna, e pure una bella donna. Non ci fu nulla da capire, né da spiegare. Gli sguardi triangolavano da lei a lui, e poi verso di me, poi ancora un altro giro. Nonostante non riuscissi mai a cogliere le relazioni più o meno dichiarate in ufficio, in quel momento avevo davanti un foglio Excel. Non ci si poteva sbagliare. Mi stavano chiedendo di condividere il loro segreto e questo mi commosse, però pensai che non sarei mai più riuscito a frequentare la moglie di Tommaso. Se mi avesse fatto la domanda: "Ma tu da quanto lo sapevi?" cosa avrei dovuto rispondere?

Ma c'erano domande più pressanti. Tipo: qual è l'atteggiamento da tenere quando tre persone stanno pensando la stessa cosa, ma nessuno dei tre ne parla? Qual è la prima cosa da dire? A me venne in mente questa: "Non ti preoccupare, Tommaso, non ti giudicherò. Non giudicare e non sarai giudicato". Era la frase che meno si sarebbe aspettato di sentirsi rivolgere. A lui, un cattolico praticante, uno che aveva obbligato ad affiggere i crocifissi in tutte le agenzie della provincia! Davanti a me non avevo un amico e neanche il mio capo, avevo la rappresentazione in carne e ossa della faciloneria con cui si affrontava il cristianesimo. Stavo mettendo in discussione la sua fede, il suo stile di vita e, per usare sempre il termine che tanto piace ai difensori di Cristo, stavo mettendo in dubbio le sue "radici cristiane". No, sentirsi dire "non ti giudico" non fu per niente piacevole per lui. A riprova di ciò non mi diede una risposta molto cristiana: "Arturo, con questo cristianesimo ci hai rotto i coglioni! Ma pensi che la vita sia facile? Noi aspiriamo a Cristo, ma non siamo Gesù Cristo!". Il tutto detto a denti stretti per non attirare l'attenzione.

"Ma neanche ci provate!" aggiunsi io, a denti meno stretti.

Lui rimase ancora più interdetto: "Ci vediamo domani in ufficio!".

Per riprendermi da quell'incontro, addentai un cornetto con la crema inserita prima di infornarlo, con più piacere del solito. La pazienza, ahimè, non è tra le mie virtù, quindi lo addento sempre quando è ancora caldo e finisce che mi scotto non gustandomelo come potrei. Questa volta, però, dopo il primo morso d'impulso, cercai di distrarmi nell'attesa che si raffreddasse, e fu in quel momento che lo vidi.

Eccolo, lassù, il signore che cercavo da sempre: l'uomo che faceva la bella vita, mezzo nudo, nel terrazzo di fronte all'Indomabile. Come se si stesse chiudendo un cerchio che comprendeva tutti gli aspetti della mia vita, mi avvicinai al citofono del palazzo, tenendo lo sguardo fisso sul terrazzo del peccato come lo spaventato del presepe. Suonai e lui, assecondando quello che potevo immaginare essere il suo stile, aprì senza chiedere neanche chi fossi. Io se mi citofonano alle 7 di mattina non rispondo e se rispondo nell'altra mano ho il telefono con il numero della polizia già digitato. Più l'ascensore saliva e più aumentava il mio battito cardiaco. Stavo per entrare in paradiso? O forse all'inferno?

Sempre nello stile di un uomo che sa come divertirsi, la porta d'ingresso era già aperta... i ladri di solito entrano nella case di quelli che non sanno come divertirsi. Con la timidezza di uno che nella vita avrebbe voluto sapere come divertirsi, entrai con pudore: "È permesso?". Non essendoci nessuno ad accogliermi, nessuno rispose. L'arredamento andava dal moderno all'antico, ma non vidi nulla che costasse meno di 20.000 euro. La festa era ormai finita, ed era rimasto solo chi ci era venuto con altri interessi. Coppie più o meno svestite erano distribuite qui e là. Mi spostai lentamente verso il terrazzo del peccato. Anche qui alcune coppie spossate erano accasciate in stato più o meno cosciente su delle sdraio. Ovviamente il posto d'onore del terrazzo ce l'aveva lui, il signore ultrasettantenne che si divertiva a fare sesso con ragazze ultraventenni. Per fortuna, aveva un asciugamano a coprire le parti intime. Tutti gli invitati avevano l'atteggiamento che si ha quando si è a un party in piscina, anche se la piscina non c'era. E come tutti quelli che si divertono nella vita, lui mi rivolse la parola come se già sapesse tutto ciò che c'era da sapere su di me: "Accomodati, accomodati, caro!". Mi fece cenno di sedermi sulla sdraio accanto a lui e spostò la ultraventenne in costume da bagno sdraiata sopra di lui.

"Mi scusi se la disturbo in questo momento, ma è da parecchio tempo che la volevamo incontrare".

Lui non fece una piega: "Lo so, mi state cercando perché non riuscite a vendere la casa di fronte, per via delle mie attività serali, ma...". Si alzò e, incantato dal panorama, si accese una sigaretta. L'asciugamano che lo copriva era lì lì per allentarsi. Me lo sarei trovato ad altezza occhi. Mi alzai per sventare il fattaccio. Lui interpretò quel gesto come un irrigidimento delle mie posizioni, e non andò avanti con il discorso. Continuò a dare lunghe boccate alla sigaretta. Una trappola. E io, ovviamente, ci cascai: "Ma?".

Mi guardò con soddisfazione: "Ma... non credo che cambierò la mia vita per un'agenzia immobiliare". Boccata di sigaretta.

Decisi allora di usare la mia momentanea fede cristiana per superare un ostacolo della vita, anziché crearmene di nuovi come mi era capitato fino a quel momento, e riportare pace tra gli uomini di buona volontà: "Mi lasci spiegare. C'è una coppia che con i risparmi di una vita ha deciso di comprare quell'appartamento perché li rende felici. La loro intenzione è di vivere lì fino alla fine dei loro giorni. Io non le sto chiedendo di smettere di fare quello che fa, giustamente uno a casa sua è padrone, ma di partecipare alla loro felicità. Se lei mi mette delle piante diventa tutto più discreto. In questo modo lei regalerà serenità a tutti: a noi dell'agenzia che riusciremo a vendere l'appartamento, alla coppia che potrà passare la propria vecchiaia in tranquillità nella casa dei sogni e a lei, che potrà continuare a divertirsi con maggior piacere perché il suo gesto avrà donato gioia al prossimo". Qui mi ricordai una frase di sant'Agostino che avevo letto sul tovagliolo di carta di un bar: "Dio non è solo amore, ma anche felicità. E lei, in questo caso, li praticherebbe tutti e due".

Lui, imperturbabile, disse: "Sono ateo!". E il castello crollò. "Ho avuto un'educazione cattolica, poi un giorno, ero ancora un ragazzo, notai che tutto quello che la Chiesa proibiva a me piaceva maledettamente. Mi attirava", e tirò una nuova lunga boccata, mentre l'asciugamano si allentava sempre di più. "E questa cosa mi rendeva il peccato particolarmente eccitante. Anche perché i pericoli che rischia un peccatore non sono credibili. Ma chi è che ha mai creduto all'inferno? Bastano due Ave Maria e un Padre nostro e passa tutto. Almeno così ci hanno fatto credere. È così, ho sempre fatto i miei porci comodi. Lo vede questo terrazzo? Bello, no?".

"Bellissimo!".

"Ogni sera le luci del tramonto mi accompagnano al termine della giornata".

Con ammirazione: "Molto bello!".

"È abusivo. Con un buon avvocato riesci a fartelo, di certo avrei speso di più se lo avessi fatto legalmente. Lo so cosa sta pensando...". Frase trabocchetto buttata lì di proposito per consentirgli di andare avanti con il suo discorso e passare a dominante della situazione.

Trabocchetto perfettamente riuscito: "Cosa sto pensando?".

"Che la fede ti porta ad avere una vita retta, in piena conformità alle regole, rispettosa del prossimo. Ma guardi un attimo questo paese che si dichiara cattolico. Mi sembra acclarato che non sia così. Se fosse vero, saremmo un paese civile. Perché il pensiero fondamentale che accompagna le azioni degli italiani è: futti, futti, che Dio perdona a tutti! C'è sempre la misericordia di un Dio misericordioso che ci salverà. Se la vivi così, la fede, è molto facile essere cristiani. Abbiamo preso tutto quello che ci interessa, la parte più facile, e abbiamo lasciato quella più impegnativa. Tanto il prete ci perdonerà".

Era partito dal mio stesso ragionamento e aveva avuto il coraggio di metterlo in pratica nella vita, ma sviluppandolo in maniera decisamente diversa. La critica, però, era la stessa. Le distanze tra noi due si accorciarono improvvisamente. Fece una pausa, ma questa volta non si trattava di un trabocchetto, pareva indeciso. Alla fine dovette convincersi: "Ma il vostro problema non durerà troppo. Ho scoperto di avere un tumore. Non so per quanto ne ho, qualche anno, o forse qualche mese. Quando me lo hanno comunicato, ho pensato a una barzelletta che mi raccontarono anni fa".

"Quale?" domandai di getto, scavalcando il rito della pausa.

"Chiedo scusa... è un po' volgare".

Mi guardai in giro. "Non credo che rischieremo di urtare la sensibilità di qualcuno".

"È la storia di una prostituta che è così bella che si fa pagare cento euro diciamo... a penetrazione. Arriva un gruppo di amici che, ammaliato dalla bellezza della ragazza, decide di andare con lei, ma non vogliono spendere troppo. E alla fine tutti pagano al massimo trecento euro. Mentre stanno commentando tra loro quell'esperienza meravigliosa, seppur breve, si accorgono che l'ultimo del gruppo è dentro con la ragazza da circa dieci minuti. Sbirciano e capiscono che l'amico sta andando ben oltre i trecento euro. E quando uno di loro lo avverte che sta spendendo troppo, riceve questa risposta: 'Accussì vogghiu moriri, pieno di debiti!'".

La barzelletta zozza riuscì a strappargli l'unico sorriso sincero del nostro incontro.

"E lo sa come voglio morire io? Accussì, pieno di debiti! Pieno di peccati. Proprio prima di morire. Compiere tutti i peccati che finora non avevo avuto il tempo di compiere, per poi pentirmi cinque secondi prima di morire. Sarà il mio saluto a questo paese".

Restammo a guardare il cielo dal terrazzo abusivo per qualche secondo, in silenzio. Prima di andarmene, provai a dominare il dominante: "Sa cosa le dico?".

Pausa per indurlo a farmi la domanda. Ma anni di dominazione psicologica non si cancellano in pochi minuti, infatti continuò a guardare il panorama senza chiedermi nulla.

Proseguii da solo: "Che lei sta cercando Dio. Perché il concetto di peccato contiene già in sé l'esistenza di Dio. Si pecca davanti agli occhi di qualcuno. Lei non è per niente ateo, lei crede in Dio quanto ci crede un vero fedele. È come quando i bambini danno dei pugni: usano la violenza perché cercano amore. La fede superficiale di chi ci sta intorno non può mettere in discussione la nostra. Anzi, forse la rafforza".

Cosa ne pensasse di questa mia teoria non l'avrei mai saputo: il nodo del suo asciugamano si sciolse e lui rimase nudo davanti a me, francescanamente. A tutti e due sembrò un segnale divino, tanto che lui arrivò a bloccare la ragazza che in quel gesto vedeva un messaggio di routine. "E poi" aggiunsi con un pizzico di invidia "non sarei così ingrato nei confronti del Signore, visto che è stato molto generoso con lei".

Mi allontanai, ma fatti pochi metri mi sentii afferrare il braccio da uno dei partecipanti. Seminudo anche lui, faccia sconvolta e un paio di Ray-Ban decisamente fuori luogo. Una ragazza distrutta dalla serata lo aspettava sul divano. Dopo un primo attimo di sorpresa, lo guardai meglio: Roberto! Perfettamente inserito nel contesto, non lo avevo riconosciuto: "Roberto, ma che ci fai qui?".

Con le pupille provate dalla serata, mi guardò e mi disse solo: "Accussì vogghiu moriri, pieno di debiti!".

Annuii per farlo felice e mi congedai.

19.

Ci sono momenti nella vita in cui uno vorrebbe scendere momentaneamente da se stesso. Ma solo per un breve periodo. Una sospensione. Giusto per capire le proprie intenzioni e quelle del resto del mondo. Per comprendere quanti punti in comune ci possano essere.

Ecco, era uno di quei momenti. La sensazione è la stessa di quando sbagli e prendi il treno veloce che non si ferma nelle città minori. E tu volevi proprio scendere a una di quelle. Con la differenza che io non capivo quanto non potessi o quanto invece, ormai, non volessi fermarlo. Ero riuscito a mettere alla prova tutte le persone con cui avevo avuto a che fare, in tre settimane, con il risultato che tutto il mio mondo stava crollando. Quanto ancora sarebbe durato quell'ultimo giorno?

Andai al lavoro come quando andavo a scuola, conscio che, se ci fosse stata interrogazione, il professore avrebbe interrogato me. Presi appuntamenti, mostrai delle case come sempre, sapendo che prima o poi Tommaso mi avrebbe chiamato. L'assenza di Roberto, poi, mi preoccupava: quando poco prima l'avevo incrociato, non mi sembrava stesse particolarmente bene. Lo chiamai, ma aveva il cellulare spento. Mi arrivò invece il messaggio di Tommaso che mi invitava a raggiungerlo in ufficio. Come avrebbe affrontato l'argomento tradimento? Quando entrai, era impegnato al telefono: mi invitò a sedermi con il gesto della mano. Chiuse la chiamata e mi fece un sorriso di comprensione, quasi a declassare i nostri screzi a capricci. Sembrava volesse interpretare il benevolo ruolo di chi perdona: "Scusami, ma ho un problema con il computer. È da due giorni che non ricevo email, una seccatura soprattutto in questo periodo lavorativo". Detto questo, con uno dei suoi rapidi cambi di ruolo, mi chiese: "Ci sei alla finale questa sera?".

"Ah, già, è vero... la finale!".

Ci eravamo iscritti a un altro campionato di calcetto. Io mi ero fatto sostituire da alcuni suoi dipendenti-sacrificali. Ero così coinvolto nel mio progetto cristiano che avevo dimenticato che eravamo giunti miracolosamente in finale. Loro, al solito, la vivevano come una cosa di una certa importanza.

"Non sei mai praticamente venuto alle partite e ti sei addirittura dimenticato della finale? Arturo, ma stai bene? È da un po' che ti vedo cambiato. Cosa sta succedendo? Ieri hai creato un casino al club... hai messo tutta la famiglia di Flora in imbarazzo".

"Ho solo chiesto spiegazioni sul punto che riguardava la ristrutturazione delle casette per i migranti".

"Arturo, non è con il buonismo che si risolvono le cose. Ogni tanto ci vuole la mano pesante per uscire da certe situazioni. Per il bene di tutti".

"Non si capisce perché la mano pesante la si deve usare sempre sugli altri e mai su se stessi... E poi guarda che se leggi la storia del tizio crocifisso che sta sopra la tua testa, potresti prenderlo per un buonista".

"Arturo, quando quel Signore predicava erano altri tempi".

"È vero, erano altri tempi, c'era più ignoranza e povertà. Vivere era molto più difficile. Condividere era più difficile.

Tant'è che poi lo hanno ucciso. Adesso siamo meno ignoranti. Se non sai le cose è solo perché non le vuoi sapere".

Con il solito retropensiero di compassione: "Arturo, mettiamo da parte la religione. C'è in atto uno spostamento di proporzioni inaudite di popoli da un continente all'altro. Non è certo la prima volta che succede, ma prima si subiva, adesso abbiamo gli strumenti per gestire questo fenomeno proprio perché, come dici tu, adesso sappiamo più cose".

"La tua passione per il crocifisso stona con la tua visione del mondo".

"Il crocifisso appeso è un modo per ricordare le nostre tradizioni, le nostre radici cristiane". Eccola lì. "Non impongo a nessuno di essere cristiano. E, comunque, questo va oltre la religione. A te che piacciono tanto i dolci siciliani, per esempio: non vuoi difenderli e tutelarli, almeno quelli?".

"La maggior parte dei dolci siciliani viene dalla cultura araba. Se non fossero venuti in Sicilia, non avremmo la cassata". Obiettivamente, con questo ragionamento, me ne ero uscito da gran signore. Ma mentre mi rallegravo mentalmente della mia risposta, ebbi una illuminazione. O meglio, più illuminazioni. Si accesero in sequenza la faccia del presidente del club, che mi sembrava di conoscere, e una delle foto esposte nell'ufficio di don Vitrano.

"Scusa, ma il dottor Ruffaro non è quello che si è fatto sette anni di carcere per concorso esterno in associazione mafiosa? Voi fate diventare presidente del club uno con questo passato?".

"Ha affrontato il carcere con molta dignità. Ha pagato per i suoi errori. Da cristiano dovresti perdonare!".

"Non aveva molte scelte. O forse lo dobbiamo ringraziare anche per non essersi reso latitante? Ma poi quello che non avete capito voi è che il perdono lo si ottiene dopo un pentimento reale. E dalle interviste che rilascia si vede tutto, tranne quello!".

"Per la legge adesso è un uomo libero".

"No, per la legge è uno che si è fatto sette anni di carcere. E poi la morale, Tommaso? La morale?".

Sospirone di Tommaso.

"Va bene, vedo che nessuno convince nessuno". Quindi cambiò discorso: "Ti avevo chiamato per due cose. La prima riguarda il lavoro. Su mia insistenza oggi pomeriggio la coppia interessata all'Indomabile torna per rivedere l'appartamento. Ho chiamato Roberto, ma non riesco a mettermi in contatto... è un po' strano pure lui in quest'ultimo periodo. Vacci tu. Cerca di essere convincente. Se riusciamo a liberarcene, alziamo notevolmente la media di vendite con conseguenze positive su tutti noi".

Il che non era vero. Le conseguenze le avrebbe avute lui con un bonus aziendale, non certo noi semplici impiegati.

"Lo so che non siete riusciti a contattare il vecchio erotomane, ma è necessario chiudere".

"Farò quello che è giusto fare".

Mi guardò con soddisfazione. Mi alzai per andarmene, ma mi mancava ancora un pezzo.

"E la seconda cosa che dovevi dirmi?".

Per la prima volta da quando ero entrato nel suo ufficio, Tommaso sembrò perdere la sicurezza del capo. "La seconda cosa, penso che potrai immaginarla". Le parti si erano invertite. "Ovviamente ero da solo al bar".

"Non devi temere nulla: a una sola condizione. Mi levi il crocifisso dal tuo ufficio fino a quando la tua situazione non si sarà regolarizzata!".

Fece un leggero cenno di assenso, più sorpreso dalla richiesta che altro. L'imbarazzo si sciolse con l'ingresso discreto della segretaria: "Dottore, sembra che il sistema abbia ripreso. Adesso può mandare le sue email".

Arrivai all'Indomabile volutamente in anticipo. Ero passato a comprare le dita di apostolo, piccoli rollò ripieni di ricotta e crema di panna, con la variante dell'aggiunta della nutella o del pistacchio. Ne avevo presi nove: tre per tipologia, giusto per non sbagliare. Sdraiato sul terrazzo davanti a me, in linea d'aria, avevo i camerieri del signore che sapeva come divertirsi che riordinavano l'appartamento. Io, invece, soffrivo nel non sentire Flora. Avevo deciso di applicare a modo mio il pensiero del filosofo francese Jean Baudrillard: "È la sottrazione a dare la forza e dall'assenza nasce la potenza". Non facendomi né sentire, né vedere da Lei, sarei stato più presente. Era il classico comportamento che, anni dopo, ripensandoci avrei definito: "Una gran minchiata!". Non so se anche Jean Baudrillard si sarebbe espresso così.

L'incontro con Tommaso mi aveva turbato. In un momento di stress la nostra amicizia non si era dimostrata come immaginavo. Non che mi avesse fatto davvero qualcosa, ma sembrava che la sintonia si fosse rotta. Ed era stato così con tutte le persone che frequentavo abitualmente. A questo punto, forse, il problema ero io.

E mentre pensavo alla sintonia tra amici, ecco arrivare Roberto. In fondo, era l'unico con cui non avevo ancora litigato. Era abbastanza sgualcito, sia in volto che negli indumenti. Si allungò sulla sdraio senza una parola.

"Tutto ok, Roberto?".

"Eh, sono un po' nella merda".

Pausa di qualche secondo. Vinse lui: "Cosa è successo?".

"Ti ricordi quando ci siamo visti l'ultima volta?".

"Certo, stamattina alla festa".

"Esatto. Ti ricordi che ero un po' stravolto?".

"Sì...".

"Ecco, in quelle condizioni ho preso il computer e ho scritto a Tommaso".

"E cosa gli hai scritto?".

"Tutto quello che pensavo dell'azienda, di lui e della sua amante".

"Della sua amante?".

"Arturo, lo sanno tutti che se la fa con quella dell'amministrazione!".

Ecco dove l'avevo vista!

"Ma perché?".

"Perché è bona!".

"No, perché hai scritto a Tommaso?".

"Non lo so, non ce l'avevo con lui. La realtà è che mi fa schifo tutta questa società. Che mi fa schifo la vita che sto facendo. Prendere per il culo le persone, spacciare cose per quello che non sono. Fingendo per di più di fare gli interessi degli altri, mentre in realtà degli altri non ci frega niente. Sapere che avevi detto la verità all'acquirente di questa casa è stato illuminante. Hai fatto qualcosa da vero rivoluzionario. Dire la verità, oggi, è rivoluzionario. Dirla senza tanti clamori, senza per questo volersi distinguere. Bravo. Con le donne sei un disastro, ma sul resto hai vinto!".

Chi lo avrebbe detto: Roberto, l'uomo più cinico e meno religioso che conoscessi, si scopriva quello più capace di leggere il mio gesto!

"Penso che dovresti solo cambiare mestiere".

"No, dovrei cambiare pianeta".

Cercai di consolarlo: "Si chiama capitalismo. Difficilmente possiamo ribellarci, perché ci siamo dentro fino al collo".

"Il problema è che ho sempre cercato di ribellarmi a tutte le forme imposte dalla società. E adesso che comincio a non essere più un ragazzino, mi rendo conto di essere rimasto incastrato in questo meccanismo di ribellione fasulla. Hai presente le ragazze che sono belle ma non ballano, nel senso che non hanno fascino? Ecco, io sono un ribelle che non balla. Perché il ribelle che si ribella ma che poi ci rimane dentro, a questa società, è un coglione. Allora ti dico che quel vecchio ha capito tutto. Per gli altri sarà pure uno strano, ma alla fine ha vinto lui. Tra qualche mese morirà e sarà tutto finito: discussioni, polemiche, giudizi, tutto finito".

"Stai parlando come se non esistesse una via d'uscita".

"Più passa il tempo e più è difficile trovarne una. Io non so cosa ti sta succedendo e non te l'ho mai chiesto, ma da quello che mi arriva ti dico bravo. Mettili con le spalle al muro!".

"Sai, una volta dopo un litigio, Flora decise di farmi parlare con un prete che nel panorama potrebbe essere definito... non so... moderno? Progressista? Giovane tra i giovani? Si chiama don Marco. Sta di fatto che tra le tante cose che mi disse c'è ne una che mi ha fatto molto riflettere...". Fui interrotto da alcuni colpi alla porta. La coppia che aspirava ad acquistare l'Indomabile era arrivata.

Ci sforzammo di uscire rapidamente dalla bolla di malinconia in cui eravamo entrati. E mentre Roberto li faceva accomodare, io mi chiesi che fare: dire la verità, svelando che il vecchio non aveva intenzione di smettere con i festini, ma che se aspettavano ancora un po' sarebbe stata madre natura a farlo smettere? Invitarli, quindi, a sperare la morte di un uomo per la loro felicità? Che fra l'altro non è proprio il modo migliore per invogliare all'acquisto di una casa. Oppure troncare questa storia del buon cristiano e mentire come avevo sempre fatto, assicurando che il vicino aveva promesso di essere più discreto, o qualunque altra minchiata buona per vendere questo benedetto appartamento? Così facendo, avrei protetto la posizione di Roberto: con la vendita dell'Indomabile e una lettera di scuse, forse, Tommaso lo avrebbe perdonato. E anch'io avrei migliorato la mia posizione.

Davanti alla coppia in attesa di sapere se c'erano novità sul vicino, presi la mia decisione. Mi congedai, affinché fosse Roberto ad assumersi gli oneri di decidere cosa fare e gli onori eventuali, nel caso fosse riuscito a venderla. E vendere un'Indomabile è una medaglia al valore, l'equivalente della vendita di tre appartamenti.

Quale fu la scelta di Roberto lo scoprii la sera negli spogliatoi, prima di scendere in campo per la finale di calcetto: Gli Invincibili contro I Tassi variabili. Una squadra formata da consulenti bancari, che avevano fondato una propria compagine distaccandosi dai Tassi fissi per idee e opinioni divergenti.

20.

Pare che William Preece, l'ingegnere capo delle Poste britanniche nel 1876, avesse commentato l'invenzione del telefono con questa frase: "Gli americani hanno bisogno del telefono; noi no. Abbiamo fattorini in abbondanza". Il povero William non capiva la potenzialità del nuovo mezzo di comunicazione o probabilmente lo capiva e per questo cercava di sminuirne l'importanza. Una lettera è uno spazio di speranza. Quando se ne scrive una, ci si può solo immaginare lo stato d'animo di chi la riceve e al massimo ipotizzare la reazione che può provocare la lettura. Il tutto racchiuso nel tempo necessario al fattorino del signor Preece per recapitare la lettera e al destinatario per rispondere e rispedirla indietro. Poi arrivò il telefono e, dopo, pure il telefonino e il tempo di speranza si è notevolmente accorciato. Quello che successe a me, credo che possa essere considerato il momento più triste di un amante, nella classifica dei momenti più tristi di amanti tristi. Un momento in cui ti addanni, chiedendoti perché il povero William Preece non fu ascoltato.

Uscito dall'Indomabile, decisi, infatti, di chiamare Lei per capire quanto fosse ancora arrabbiata. Avevo intuito che la cosa fosse grave... non era mai arrivata a cacciarmi di casa. Dopo attente valutazioni alla fine decisi di telefonarle alle 18.10. Di solito dieci minuti prima lasciava la cassa, si preparava un tè e si spostava in ufficio per le ordinazioni della pasticceria. Forse avrei dovuta chiamarla la sera, sarebbe stata la cosa più giusta. In un eventuale ripensamento da parte sua sarei potuto tornare a casa. In caso contrario, non volendo ammettere la sconfitta con i miei genitori, l'unico posto che avrebbe potuto ospitarmi senza porre domande era l'Indomabile. Con delle accortezze, del tipo: entrare molto tardi e uscire molto presto, per evitare gli inquilini, il portinaio in primis. Altra accortezza: non accendere le luci. Se Roberto avesse partecipato a un festino del signore che sa come divertirsi mi avrebbe beccato subito. Non mi avrebbe creato problemi, figurarsi, ma volevo rimanere solo.

18.10. Accostai l'auto e con un po' di ansia composi il numero di Lei. Primo squillo, secondo squillo, terzo squillo. E fu proprio al terzo squillo che alzai la testa e vidi Flora uscire da un negozio, fermarsi, prendere il cellulare, leggere il nome, fare una smorfia di disappunto, rigettare il telefonino all'interno della borsa e andare via. Fu una pugnalata. Avere la verità davanti, in maniera così sfacciata, valeva più di mille discorsi. Rimasi fermo immobile per quindici minuti. Applicai la strategia dell'opossum inconsciamente. Con il dottor Preece tutto questo non sarebbe mai successo. La mia vita si stava sgretolando. Un vero uomo forse sarebbe sceso dall'auto, l'avrebbe rincorsa e chiesto spiegazioni. Io, invece, rimasi immobilizzato. Quando mi ripresi, il primo pensiero fu per la finale di calcetto di quella sera. Strano come reagisce la mente in una situazione di stress. In quel momento non mi rimaneva altro che quella partita: era l'unica certezza che il mio cervello era in grado di riconoscere.

Come un automa mi diressi al campetto due ore prima dell'inizio dell'incontro. Non potendo entrare in casa, ricomprai i guanti e il completo da portiere. In quelle due ore, cercai di fare i conti con i miliardi di pensieri che mi frullavano nel cervello. Il risultato fu solo un gran mal di testa e un totale distacco da quello che succedeva intorno a me. Ricevetti dei messaggi, era Roberto. Mi limitai a leggere il mittente, perché a un bip di messaggio in entrata non si nega mai un'occhiata, neanche in punto di morte. Un'ora prima dell'inizio arrivarono i primi compagni di squadra, tra cui Francesco ed Emanuele. Dopo la discussione tra clown, non li avevo più rivisti. Si avvicinarono alla mia auto mentre fissavo l'infinito. Bussarono al vetro e io saltai in aria per lo spavento.

"Tutto ok, Arturo?".

"Sì, ci sono!". Scesi dall'auto e mi sgranchii le gambe, accennando anche qualche timida flessione preriscaldamento, poi ci dirigemmo negli spogliatoi. Le mie stranezze religiose si erano diffuse in tutta la squadra, tanto che fui lasciato solo durante la vestizione per una sorta di diffidenza. Dieci minuti prima dell'inizio arrivò Tommaso. Era trafelato, nervoso e non rivolse la parola a nessuno. Mentre si cambiava, gli altri iniziarono a parlottare tra di loro. Mi avvicinai per capire cosa stesse succedendo. Si girarono tutti come se avessi una malattia contagiosa.

"Ma cosa gli è successo?" chiesi.

Mi guardarono sempre più stupiti. "Ma come, proprio tu non lo sai?".

Non ebbi il coraggio di ammettere di non sapere e allora mi piazzai all'ingresso degli spogliatoi, pronto a uscire. Poco dopo Tommaso mi si accostò e senza guardarmi mi disse: "Vediamo di dare istruzioni utili alla squadra, almeno in campo". E si allontanò.

"Ma cosa voleva dirmi?" chiesi a Francesco.

"Ma come fai a non saperlo proprio tu" ripeté lui.

"Francesco, mi vuoi dire cosa ho combinato? Questa situazione comincia a essere surreale".

"L'Indomabile non è stata venduta. Hanno chiuso il consuntivo di quest'anno e non si è raggiunto il risultato che lui sperava di ottenere. Se ci fosse riuscito, sarebbe stato il terzo anno consecutivo e lui sicuramente avrebbe avuto una promozione".

Mi venne in mente, all'improvviso, il messaggio di Roberto che nelle mie due ore di immobilismo non avevo letto! Mi fiondai al mio cellulare.

Ho detto la verità e non l'hanno comprata! Accussì vogghiu moriri!

Se la verità ci rende liberi, in quel caso rischiavamo anche di essere licenziati, ma comunque felici. Feci un sorriso e scesi in campo. Riuscii a parare ogni tiro. Ancora una volta la sindrome da karaoke aveva colpito l'avversario. Nel campo la tensione era palpabile, per il semplice motivo che i consulenti bancari dei Tassi Variabili erano provati, come noi del resto, dalla chiusura dei consuntivi. Una vittoria avrebbe dato sfogo a tutte le frustrazioni lavorative. Tranne a me, a cui non fregava nulla e che per questo facevo delle parate clamorose. Nell'intervallo, con il risultato sullo zero a zero, negli spogliatoi Tommaso da vero leader cominciò a dare indicazioni, consigli, e non si risparmiava nei rimproveri. Solo io ne ero immune. Non mi guardava neanche. In caso di pareggio, si sarebbe passati prima ai tempi supplementari e poi, eventualmente, ai rigori. Io sapevo che oltre al tempo regolamentare non ce l'avrei fatta, sarei crollato fisicamente.

La seconda frazione di gioco ricalcò la prima metà. Con il tempo le azioni si facevano sempre meno offensive da entrambi le parti. Si avvicinarono pericolosamente, così, i tempi supplementari. E con essi il momento in cui si materializzano gli incubi e i timori di tutti i portieri: subire un gol a fine partita. Per questo motivo nessuna delle due squadre si spinge in attacco, rischiando di perdere la palla. In questa fase nessuno in campo protesterà per la lentezza nel battere una punizione o per il ritardo nell'effettuare una rimessa.

Ma all'improvviso il consulente bancario dell'agenzia Palermo 17, tale ragionier Matteo Travaglioli, come Éder nello stadio di Sarriá di Barcellona il 5 luglio del 1982 durante la partita dei Mondiali Italia-Brasile, violando quel patto non scritto di non belligeranza degli ultimi secondi, fece un inaspettato lancio per il capo area Filippo Turini che si trovava davanti alla mia porta. Incornò il cross, spedendo la palla in basso alla mia sinistra, proprio come Oscar sempre quel giorno di tanto tempo fa. Mi lanciai con tutto il mio cuore. E lo feci ancor prima di intuire la traiettoria della palla, perché io quell'azione l'avevo vista molti anni prima e poi l'avevo vista e rivista ancora negli anni successivi nella mia mente, perché in quel 5 luglio 1982, quando avevo messo in fila una sfilza di preghiere affinché Dio ci aiutasse a battere il Brasile, c'era stato il mio primo, e temo anche unico, rapporto intenso con il Signore. E così percorsi quei pochi metri in aria, direzione palla, colmo di fiducia. Bloccai il pallone con la mano sinistra e poi mi ci arrotolai intorno chiudendo gli occhi. Li chiusi così forte che sparì anche l'udito.

Appena li riaprii rividi la scena dei difensori che sostenevano che la palla avesse oltrepassato la linea e degli attaccanti che, ovviamente, sostenevano la tesi opposta. Non essendoci un arbitro, perché lo spirito che spinge a organizzare questi campionati è sempre goliardico, l'onestà dei singoli calciatori avrebbe dovuto sbrogliare la situazione. La cosa, quindi, era particolarmente complessa. Dopo circa venti minuti di discussione, si fecero avanti i capitani delle due squadre, Tommaso e il capo area Turini, seguiti dagli altri giocatori e mi chiesero se il pallone fosse entrato o meno, ognuno sicuro di avere ragione. Se avessi detto a Tommaso quello che voleva sentirsi dire, avrei risolto molti miei problemi. Mi sarebbe bastata una risposta da "personalizzare". Ma era anche il mio ultimo giorno da cristiano, perché rovinare tutto alla fine e andare contro l'ottavo comandamento?

Ancora rannicchiato intorno alla palla, alzai la testa e dissi la verità: "La palla ha oltrepassato la linea di porta. È gol!". La squadra avversaria esplose di gioia e corse ad alzare la coppa in palio, del costo di circa venticinque euro, con lo stesso entusiasmo che si ha quando si alza quella del Mondo. I miei compagni di squadra erano incerti se menarmi o lasciarmi da solo in campo. Fortunatamente scelsero la seconda opzione. Feci in tempo a vedere la faccia di Emanuele e Francesco, il succo del loro pensiero si concentrò in questa frase: "Ma sei proprio un minchione!". Il pensiero di Tommaso fu più facile da decifrare, anche perché lui venne personalmente a dirmelo: "In quella tua testolina c'è molta confusione. Riposati un po' e non farti vedere prima di tre mesi!". Mi sembrò di udire anche un veloce "testa di cazzo" appena si fu voltato.

Dopo la doccia, i miei compagni andarono a cena. Aspettai un po', poi li chiamai per farmi dire il ristorante, nella speranza che dopo due ore gli animi si fossero calmati, ma feci solo squilli a vuoto.

Fu così che rimasi cristianamente solo.

21.

Tornai mestamente all'Indomabile, nome in cui mi rivedevo molto in quel momento, non prima però di passare da una pasticceria. Mancava un quarto d'ora alla mezzanotte, un quarto d'ora alla fine del mio periodo da cristiano. Attesi il termine della giornata osservando la città e il terrazzo del vecchio che sapeva come divertirsi. Tanto per cambiare era in corso una festa. Io addentai l'iris con la ricotta al forno comprata prima di salire. Verso fine giornata, al morso non è più morbida come nella mattinata, ma va bene così. La preferisco al naturale piuttosto che morbida perché riscaldata al microonde.

Undici e cinquantanove, un minuto e non sarei più stato un cristiano. Era arrivato il momento di tirare le somme.

In tre settimane ero riuscito a essere mollato dalla fidanzata, perdere gli amici e farmi quasi licenziare al lavoro. Il tutto partendo da un libro di catechesi del figlio di Tommaso, senza neanche studiarlo troppo. Ma io volevo solo farmi notare da Lei, Flora. Volevo dare un senso a tutte quelle lezioni pallosissime di catechismo. Volevo accettare tutto quello che mi era stato detto e metterlo in pratica. Io volevo fare qualcosa di rivoluzionario, volevo essere Cristo in Terra. Perché tutti possiamo diventarlo o quanto meno avvicinarci a Cristo.

Non volevo vivere il cristianesimo come uno sport, da

praticare solo quando ne avevo voglia o non avevo impegni. Ci sono certe cose che ci mettono sicurezza e ci confortano. Quando sta male un caro o stiamo male noi, ci ricordiamo di essere cristiani. Quando un presunto invasore rischia di mettere in discussione "le nostre radici cristiane", allora lo diventiamo. Pratichiamo il cristianesimo quando ci è più comodo. Quando vogliamo divorziare "no", quando dobbiamo imporre il crocifisso "sì", quando dobbiamo accogliere "no", quando giuriamo sul Vangelo "sì". Perché di san Francesco ci piace che parlasse ai lupi e agli uccellini, ma dimentichiamo quello che potremmo fare anche noi: donare tutto ai poveri, ma basterebbe anche la metà; trattare il prossimo come un nostro fratello, anche quando nostro fratello ci tratta male. Non volevo nascondere le mie responsabilità dietro un santo che fa miracoli. Non volevo vivere la cristianità come superstizione. Perché fare le corna, toccarsi le palle o praticare qualunque rito scaramantico e pregare Gesù, la Madonna o un santo del paradiso sembrano avere la stessa funzione. Io non volevo essere come un Ct della nazionale italiana di calcio, che durante la partita con un avversario particolarmente ostico versava dell'acqua benedetta intorno alla panchina. Cosa si aspettava dopo quel gesto? Che la Madonna sarebbe salita sulle spalle dell'attaccante della squadra avversaria e gli avrebbe messo le mani sugli occhi, sussurrandogli una supercazzola all'orecchio per distrarlo?

Io non volevo essere come il politico che non si assume le sue responsabilità da cristiano, differenziando il messaggio di Dio tra categorie sociali. Il Papa, la domenica all'Angelus, non manda messaggi personalizzati: ora un messaggio alle casalinghe, ora uno ai vigili del fuoco e adesso uno ai politici. La minestra è uguale per tutti. Se non ci piace, basta non ordinarla. Quando Dino Zoff, ancora un giovane portiere, si dispiaceva di non essersi accorto durante una partita di un tiro poi andato in rete, il padre Mario Zoff, contadino friulano di poche parole, gli rispose: "Perché non te lo aspettavi? Era un tiro. E tu stavi lì a fare il portiere, mica il farmacista". Ecco, quando usciamo dalla chiesa cosa ci aspettiamo di essere? Dei farmacisti o dei cristiani?

Il problema è che a noi ci va bene così. Perché è più comodo, è più facile, ci conforta ma non ci impegna. Perché alla fine al massimo ci confessiamo e ci pentiamo. Perché tutti futti che Dio perdona a tutti!

C'è un passaggio dei Vangeli che mi ha sempre colpito e che mi hanno detto essere tratto da quelli apocrifi. Nel Vangelo tradizionale, quando gli apostoli si accorgono che non c'è abbastanza cibo per le persone che lo stanno ascoltando, Gesù moltiplica i pani e i pesci. Nella versione apocrifa Gesù risolve il problema facendo un miracolo che potremmo fare anche noi: chiede alle persone di tirare fuori tutto il cibo che hanno con sé e di dividerlo con chi non ne ha. Così si saziano tutti. Nel Vangelo ufficiale il senso è lo stesso, ma è il gesto miracoloso che ci rimane in mente. Perché è più difficile cambiare qualcosa quando la responsabilità ricade su di noi e non sul miracolo che attendiamo.

Il 5 luglio 1982, nello stadio di Sarriá a Barcellona, vincemmo la partita perché Dino Zoff, dopo tanti anni di allenamento, sudore, sacrifici, successi, sconfitte, e tanto talento, fece la parata della vita, la parata del secolo. Non fu influenzato dalle mie preghiere, non fu influenzato dalle preghiere del mio omologo bambino brasiliano. Neanche dalle gallinelle del rito vudù dietro alla porta. Fece quella parata perché fu bravo. Se a creare Dino Zoff, e il suo talento, sia stato Dio lo sapremo quando moriremo. Io non ne sono così sicuro, anche se mi piacerebbe tanto che lo fosse, ma ho qualche dubbio. Nell'attesa giuro che non tenterò più di praticare la parola di Gesù nella mia vita. Per lo meno non lo farò più così platealmente. Magari con più moderazione e meno ostentazione.

Epilogo

Sono passati due anni dalle mie tre settimane da cristiano. E non frequento più le persone coinvolte nella storia che vi ho raccontato. In questo periodo, però, è successo di tutto.

Andiamo con ordine e partiamo da quelle meno clamorose.

Il mio amico, nonché compagno di squadra, Francesco, è riuscito ad avere una bimba. È sana e bella. Solo che lo impegna così tanto che non ha più il tempo di vestirsi da clown per rallegrare i bambini malati. Mi dispiace per Francesco, ma soprattutto per i bambini. Spero che chi lo sostituirà abbia già tutto dal Signore.

Emanuele, invece, continua con il volontariato. Lui evidentemente non ha ancora trovato moglie. Anche se ci sono delle novità in questo campo.

Sui social ho visto una foto di Tommaso nel suo ufficio. Ha fatto carriera. Ora è passato alla dirigenza nazionale. Infatti si è trasferito a Roma. Con la sua partenza sono finite anche le partite di calcetto. Sullo sfondo ho notato che ha riappeso il crocifisso. Ma dalle ultime notizie la sua relazione extraconiugale prosegue. Per un periodo con la stessa donna, poi però da quando si è trasferito ha cambiato amante. Forse è per questo che si è sentito in obbligo di riappendere il crocifisso. Mi dispiace perché per un attimo ho creduto che le mie parole, recitate in quel modo, lo avessero toccato veramente.

Di Lei sono riuscito ad avere aggiornamenti da un insospettabile: il cameriere Carlo. La sera della cena al club dei ricchi e belli serviva ai tavoli. I sentimenti di disprezzo che Carlo nutriva ogni volta che mi vedeva, dopo il mio intervento alla cena, si sono completamente ribaltati. Appoggiava la mia causa dei migranti e disprezzava i ricchi e belli. Per qualche mese mi ha fatto un report su tutto quello che succedeva. La pasticceria è ormai avviata e di conseguenza Lei ha cominciato ad avere ritmi meno stressanti. Per un periodo mi segnalava anche quando frequentava nuovi potenziali spasimanti, fino a quando è arrivata la bomba: adesso sta con Emanuele. O perlomeno si frequentano assiduamente. Quindi potrebbe essere questione di settimane, o forse di giorni. Una volta è arrivato addirittura con delle scarpe nuove di cuoio, ma non era chiaro se fossero già sue. Di sicuro non lo ha mai portato alla cena del club. Quindi non riusciamo a capire se sia o meno il fidanzato ufficiale. Il carattere un po' passivo di Emanuele forse è quello giusto per Lei. Uno dei due deve soccombere e lui potrebbe essere l'uomo adatto. Anche io pensavo di esserlo. Almeno credevo che sarei potuto soccombere volontariamente con il sorriso sulla bocca. Poi ho avuto quella folle idea ed è finito tutto. Se potessi dare un consiglio a Emanuele gli direi di non fare, per niente al mondo, quello che ho fatto io. Perché Lei è una donna meravigliosa. Non la sento più da quando l'ho vista gettare il suo cellulare nella borsa invece di rispondere. Ho pensato che non c'era più nulla da aggiungere. Avrei dovuto chiamarla per un giusto congedo, ma mi sono successe tante di quelle cose che non ho avuto il tempo "mentale" per farlo.

Due anni fa ho deciso di prendermi una pausa dal lavoro, come mi aveva suggerito Tommaso, e fino a quando non mi fossero finiti i soldi sul conto, di stare in America. Ho preso il primo volo per New York, dove avrei potuto trasformare tutto il mio dramma in una scena da film. Solo che, dopo tre giorni di camminate a Central Park con Joe Cocker nelle orecchie, mi sono rotto le palle. Così ho chiamato Lisa. Avevo bisogno di una spalla sui cui piangere, ma anche di poterle raccontare il mio tentativo di passare da uomo che "non sa cosa vuole nella vita e rompe le palle al prossimo" a uomo che "sa cosa vuole e combatte per averla". Evidentemente l'ho chiamata con così tanta convinzione che è rimasta incinta. Diciamo che la notizia del tutto inaspettata ha sospeso i miei dubbi e tormenti precedenti per sostituirli con altri. Era un figlio decisamente fuori programma, frutto di due persone che non si frequentavano più da tempo, che però in fondo si amavano. E in passato avevamo pure immaginato di avere dei figli, al netto dei miei naturali tentennamenti. Ci abbiamo pensato e ripensato. E ripensato ancora. Così alla fine è nato Rocco. Travolgendo la mia vita, le nostre vite.

Ora siamo una simpatica famigliola di Brooklyn e siamo felicissimi. È come se ci fossimo trovati davanti a un burrone senza poter tornare indietro. A un certo punto ci siamo guardati, ci siamo presi per mano e ci siamo lanciati. E invece di precipitare, abbiamo cominciato a volare. Certo, ogni tanto sembrava di perdere quota, ma alla fine il vento ci ha sempre riportato su.

Ammetto che spesso mi è venuta in soccorso la strategia dell'opossum della Virginia. L'ho applicata subito, senza tentennamenti. E devo dire che funziona anche qua, dall'altra parte dell'oceano (del resto è in questo paese che è stata inventata). Ma il rischio che riaccada quello che è successo con Flora è molto improbabile, Lisa è atea. Al momento la mia preoccupazione principale è che Rocco cresca pensando: "L'Italia è bella, ma in vacanza". Che poi, qui da New York, ha pure un senso. Gli parlo di Palermo come se fosse Zurigo.

A parte i soldi della mafia, non c'è decisamente nulla che unisca le due città. E visto che ci abbiamo preso gusto nel volare, adesso siamo in attesa che arrivi anche Maria. Io volevo chiamarla Itala, ma mi è stato vietato anche il solo pensarlo.

Visto i cambi di programma, ho dovuto cercare un lavoro a New York. Al mondo dell'immobiliare non ho nemmeno pensato, e ho deciso di dare sfogo alla mia passione: ho aperto una pasticceria siciliana. In realtà non è una pasticceria vera e propria, è più un baracchino. Ho seguito un corso tenuto da un pasticciere italoamericano, che continuava a chiamare la cassata "cascata" siciliana, e ho cominciato a produrre in proprio. Dopo settimane a pensare come chiamare la mia nuova attività, mi è venuta in mente la pubblicità di una pasticceria che avevo visto prima di partire da Palermo: "The sciù must go on!". Mi sembrava perfetto per gli Stati Uniti. Lavoro molto, e quello che rimane a fine mese, tolte le spese, non è tantissimo, ma sono felice lo stesso. I dolci non mi vengono ancora bene, gli sciù in particolare, ma a New York che vuoi che ne capiscano. Però raggiungere la perfezione è lo stimolo che mi fa svegliare la mattina.

E ora il fatto più eclatante.

Fra le persone che più mi mancano c'è Roberto. Il suo sfogo mi aveva colpito. Era come se lo avessi conosciuto veramente solo quel giorno. Avevo cercato di contattarlo, ma senza successo, poi da un collega avevo saputo che si era licenziato dall'agenzia immobiliare ed era sparito in tutta fretta, al punto da lasciare le sue cose in ufficio. Un anno dopo ho aperto la posta e ho trovato questa email:

Caro Arturo, eccomi qua. Mi spiace essere sparito, ma in quest'ultimo periodo ho avuto solo il tempo e la forza di pensare seriamente alla mia vita. Forse per la prima volta. Dopo il mio sfogo ho realizzato che era arrivato, seriamente, il momento di cambiare tutto. Subito dopo che sei andato via, Toti, il si-

gnore delle feste del terrazzo, ha cominciato a star male. Io all'inizio andavo a trovarlo saltuariamente, poi, quando il suo stato di salute è peggiorato, sempre più spesso. E alla fine sono stato con lui fino alla fine, a tenergli la mano mentre moriva. Non so se ti è mai capitato, ma assistere una persona mentre muore è un'esperienza incredibile. Da una parte piangi come un bambino, arrivi a esaurire le lacrime, dall'altra ti rendi conto che hai reso più lieve una cosa estrema come la morte. Lì ho capito qual è la rivoluzione che devo praticare nella mia vita.
Ho contattato il prete, uno di quelli chiamati per farti 'guarire', don Marco, e adesso sono in Kenya. Lo sto aiutando a tirare su una chiesa con scuola annessa. Sta venendo bene. Anche senza personalizzarla!!!
In tutta la mia vita ho cercato la rivoluzione senza mai trovarla. Il motivo è semplice, non si fanno le rivoluzioni da soli. Non sei rivoluzionario se alla fine non coinvolgi qualcun altro. Adesso, quando don Marco torna in Italia, sono io che gestisco tutto. È incredibile quanto non mi manchi la mia vita precedente. Al momento trovo lo stesso piacere, ma in altre forme. È la rivoluzione a cui non avevo mai pensato e non tornerò più indietro.
Arturo, nel mio piccolo, mi sento quello che è andato oltre, un po' come hai fatto tu. Ti devo ringraziare, perché se l'ho fatto è anche merito tuo e della tua presa di posizione. Spero che anche tu stia bene. Mandami notizie. In che parte del mondo sei? Posso leggere le email solo una o due volte al mese. Quindi devi avere un po' di pazienza. Ora devo andare, dobbiamo apporre una scritta all'ingresso della chiesa. Ci abbiamo messo un mese per decidere. Dopo lunghe riflessioni a don Marco è venuta in mente una frase di san Francesco che, se non sbaglio, dice una cosa del tipo: "Predicate sempre il Vangelo e, se fosse necessario, anche con le parole!".

Finito di leggere l'email, ho pianto.

Ringrazio

Mia madre, mio padre e la mia sorellina.

Beppe Caschetto. Ogni tanto è giusto ringraziare anche gli agenti, senza abituarli troppo.

Francesco Piccolo. Dopo aver scritto l'episodio del cugino fiorentino, che crede al gol di Antognoni, ho scoperto che già lui aveva raccontato una storia simile in un suo libro. Ormai affezionatomi all'idea, gli ho chiesto il permesso di fare questo miniplagio involontario.

Il vescovo Vincenzo Paglia e padre Enzo Fortunato per alcune riflessioni molto preziose che mi hanno donato.

Don Marco Pozza per i suoi ragionamenti e per avermi presentato il suo "Capo" (tra l'altro una gran bella persona).

Il Sacro Cuore di Maria Schininà e il Don Bosco Ranchibile di Palermo. Loro hanno contribuito alla mia formazione da cattolico, anche se ormai agnostico. Non so se saranno particolarmente felici che si sappia in giro.

Giuseppe Longinotti, per essere a sua insaputa fonte di ispirazione per alcuni personaggi e citazioni che si trovano in questo libro.

Emanuela Genovese, Luca Monarca e Michele Astori per aver fatto da lettori/cavia.

Gianluca Foglia, Laura Cerutti e la Feltrinelli, per la pazienza che hanno avuto con me.

E infine, mi scuso e ringrazio tutte quelle persone che ho dimenticato di ringraziare, e che mi verranno in mente appena avrò il libro stampato in mano.